TODO MUNDO QUE AMEI JÁ ME FEZ CHORAR

CLEO E **TATIANA MACIEL**

TODO MUNDO QUE AMEI JÁ ME FEZ CHORAR

Editora **Melhoramentos**

Dados Internacionais de Catalogação na Publicação (CIP)
(Câmara Brasileira do Livro, SP, Brasil)

Cleo
 Todo mundo que amei já me fez chorar / Cleo, Tatiana Maciel. – 1. ed. – São Paulo: Editora Melhoramentos, 2022.

 ISBN 978-65-5539-442-9

 1. Amor 2. Contos brasileiros 3. Família 4. Relacionamentos 5. Relações interpessoais I. Maciel, Tatiana. II. Título.

22-107574   CDD-869.9

Índices para catálogo sistemático:
1. Relacionamentos : Literatura brasileira 869.9
Maria Alice Ferreira – Bibliotecária – CRB-8/7964

Copyright © 2022 Cleo Pires
Copyright © 2022 Tatiana Maciel
Preparação de texto: Luiza Thebas
Revisão: Vivian Miwa Matsushita e Elisabete Franczak Branco
Projeto gráfico: Bruna Parra
Diagramação: Johannes C. Bergmann
Imagens de miolo: Freepik.com
Capa: Vanessa Lima

Direitos de publicação:
© 2022 Editora Melhoramentos Ltda.
Todos os direitos reservados.

1ª edição, junho de 2022
ISBN: 978-65-5539-442-9

Atendimento ao consumidor:
Caixa Postal 729 – CEP 01031-970
São Paulo – SP – Brasil
Tel.: (11) 3874-0880
sac@melhoramentos.com.br
www.editoramelhoramentos.com.br

Siga a Editora Melhoramentos nas redes sociais:
🇫 🇴 /editoramelhoramentos

Impresso no Brasil

Este livro é dedicado a todas as pessoas em busca de acolhimento.

Eu gostaria de agradecer a todas as pessoas inesperadas que cruzaram meu caminho e me surpreenderam com seu colo, suas palavras, seu acolhimento em tantos momentos que eu precisei de apoio, quando estava intoxicada e machucada por pessoas que não sabem amar (não foram poucas vezes). São esses momentos que me possibilitam identificar quem de fato me faz bem e procurar cada vez mais me cercar de pessoas não tóxicas (essas, sim, são poucas). Vocês sabem quem vocês são e vocês sabem quem vocês não são.

Cleo

Eu queria agradecer às pessoas que não desistem de fazer arte, às pessoas que não desistem de fazer ciência, às pessoas que não desistem de ensinar e às pessoas que não desistem de aprender. E às pessoas à minha volta que me fazem não desistir de nenhuma dessas coisas.

Tatiana Maciel

TRENDING
PARTE 1

Rosa acordou e, ainda meio zonza, lembrou o que tinha acontecido. Aliás, o que tinha acontecido ela lembrava todo dia. Não é assim que a gente vive essa vida? Acorda com um frio na barriga, fingindo que não, espreme meio limão num copo de água morna, lava a cara e até sorri pro espelho. Mas lembrar, a gente sempre lembra.

Dessa vez o problema não foi ter lembrado o que aconteceu em si. O problema foi lembrar o post que ela tinha feito sobre o acontecido. Ela ainda pegou leve, no post. Não falou nada de mais. Só um desabafo. Quem foi mesmo que disse: "Eu escrevo pra entender o que eu estou sentindo"? Mas agora o post estava lá, e ela não tinha nem coragem de abrir o celular pra ver no que é que aquilo tinha dado.

Começou a refletir sobre o que tinha escrito. Ou melhor, sobre o porquê de ter escrito aquilo. O que é que fez cair aquela ficha, fazer essa reflexão mais dura, abrir o coração, dar a cara a tapa? Na internet, ainda por cima. Ela não sabia. Seguiu o coração? O exemplo de tanta gente? A busca por uma espécie de justiça; alguém que visse o seu lado; se colocasse no seu lugar; um pertencimento? Aprender a usar sua voz?

Ah, mas onde ela estava com a cabeça? Não era da conta dos outros, as coisas que ela passava. Ou era? Vai guardar só pra você uma coisa que todo mundo sente? Quer dizer, todo mundo não: toda mulher. Com homem é diferente. Quer dizer, com homem hétero é diferente. As pressões são outras. E eu sei que dá raiva, mas tem homem que até sente também. Eles quase sempre fingem que não sentem nada, mas é pra enlouquecer a gente. Fingem que estão tranquilos com a vida ser assim desse jeito que a vida é, mas de vez em quando, depois de uma injustiça qualquer, de um desbalanço, de uma deslealdade, todo mundo sofre. Até homem. Por incrível que pareça.

Rosa achava até sofisticado o silêncio das pessoas. Todos impávidos diante da vida. Será que só ela tinha vontade de chorar no meio da rua ouvindo música? Só ela se arrependia, ficava ansiosa, tinha medo de viver e mais medo ainda de morrer? Aquilo não podia ser normal. Aliás, se perguntava sempre: será que todo mundo fez um pacto de esconder que tem medo de morrer e esqueceu de me contar? Olha esse povo gritando na rua, adotando cachorro, andando de skate, tudo normalmente. E Rosa contando os minutos que nem em final de jogo de futebol: será que ainda dá pra virar? A cada aniversário, a cada fim de ano, todo mundo comemorando e Rosa calada pensando: eita, um a menos!

Mas deixa isso pra lá, o problema agora era o tal do post. Tomou sua água com limão num gole só e, se sentindo corajosíssima, entrou no Instagram. Ai, meu Deus, um monte de like. E agora? E o Instagram, que nem diz mais quantos likes teve direito? Fulano de tal e outros curtiram seu post. Certo. Ela ia ter que contar um por um esses outros? Não tinha um lugar pra reativar a contagem de likes? Tinha. Só que pra que servia essa espiral maluca de contar likes? Ora, pra ela ver que não tinha ficado louca de fazer aquele post, se alguém gostou é porque foi bom, não? Setenta e um likes, setenta e dois likes, sacanagem ter que contar agora um por um.

Oitenta... e o telefone toca. Óbvio que é a mamãe, pensou. Esqueci que a porra da mamãe tem Instagram. "Porra" é modo de dizer. Acordou nervosíssima, a Rosa. Agora ia ter que ouvir: "Pra que se expor desse jeito? E a família do Guilherme? Todo mundo vai saber que era uma indireta pro Guilherme, coitado. Me espanta você, que conhece homem muitíssimo bem – mais até do que o normal, diga-se de passagem –, achar que tem coisa muito melhor por aí".

E Rosa pensando: atendo a mamãe ou volto a contar like? Sabendo que não ia fugir de nenhum dos dois e que os likes iam mudando a cada minuto, enquanto a sua mãe ia ficar ali ligando pra todo o sempre, igualzinha, atendeu:

– Oi, meu amor, você tá bem? Liguei só pra saber de você, da sua vida. Tá tudo certo? Sua irmã ficou muito preocupada com você. Ela me disse: "Mãe, você precisa falar com a Rosa, porque ela está se expondo muito desde aquela selfie de batom. Pra que selfie de batom, né? Já se vê logo que a pessoa tá na fossa".

Rosa respirou fundo e fez o que talvez nunca tivesse feito antes: interrompeu a mãe. Assim mesmo, interrompendo e pronto:

– Mãe, todo mundo diz que é importante falar sobre essas coisas pra as outras mulheres poderem... hummm... reagir também.

Como se nem a tivesse escutado, a mãe a atropelou:

– Mas, minha filha, é falta de terapia? Eu pago.

Obrigada, mamãe, pensou Rosa. Se você me ouvisse, se alguém me ouvisse, talvez não tivesse que virar post.

Como dizer que precisava de terapia e de dinheiro, mas que o que precisava mesmo era de solidariedade nesse momento? Curiosidade, compaixão, carinho. Só um abraço, talvez?

Quando se concentrou de novo, ouviu a mãe emendando uma coisa na outra, que sempre terminava com "o pobre do Guilherme".

Rosa nem sabe como desligou. Deve ter concordado com a mãe e prometido apagar a selfie de batom, mas não conseguiu prestar atenção.

Olhou o Instagram de novo: muitos likes. Incontáveis likes. Pedidos de amizade, mil. Todo mundo lendo. Será que virou meme? Será que virou trending topic? Que bobagem isso tudo. Ela só queria dizer o que estava sentindo. Talvez fazer outras mulheres se sentirem menos sozinhas. Menos sozinhas do que ela vinha se sentindo havia muito tempo. Só queria ser uma pessoa inteira de novo. E agora tinha virado print. Tinha virado story. Puta que o pariu, e agora? E a família do Guilherme?

Rosa estava com os olhos fixos no celular. Será que ela postava uma foto de gatinho pra virar a página logo? Três fotos seguidas de gatinho? No Instagram só resolve se a gente postar coisa de três em três. É o algoritmo. Aliás, ficou pensando: quantos quadradinhos será que cabiam numa página antes de você ter que arrastar a tela pra cima pra ver mais? Doze? Quinze? Que conta. Que dia. Não conseguia pensar em nada normal.

Tinha sido tão sincera. Ficou até bonito, o post. Mas ficou remoendo a ideia de que parecia meio doidice ser completamente sincera na internet. Qual era o problema dela, com esse monte de dúvidas? Deveria agora estar tomando café, cheia de si, cheia de likes. Mas só sentia medo e culpa. Querendo pegar carona no feminismo, Rosa? Sim, pelo amor de Deus, feminismo, deixa eu pegar uma carona, já estou com o joelho todo ralado de me arrastar sozinha.

Finalmente, num momento de alívio, Rosa ouviu batidinhas na porta do seu quarto: ai, Nanda, graças! Eu já estava sem saber se você tinha morrido ou se quem tinha morrido era eu.

Fernanda abriu a porta e mal conseguiu entrar pra dar bom-dia, porque Rosa se sentou na cama num salto.

— Eu já estava ficando maluca aqui sozinha neste quarto.

— Vem. Fiz café. Tá na mesa.

— Ai, que bom! Maluca porém acompanhada na sala já vai ser um avanço muito significativo.

Na sala do apartamento que dividiam desde que Rosa tinha acabado o namoro com o Guilherme, as duas amigas encheram suas xícaras com o máximo de café possível e se jogaram no sofá, esparramadas, em silêncio. Fernanda olhou bem pra cara da amiga e estendeu o braço. Era um abraço curto e firme. Um abraço que diz: estou aqui, mas não se largue, não se esparrame, fique dentro de você, organizada, você vai precisar. O melhor abraço nessas horas.

— Você já leu os comentários do meu post?
— Hum-hum.
— São bons?
— Você não leu?
— Perdi a capacidade cognitiva da leitura.
— Claro que são bons.
— Graças a Deus.
— Ninguém aguenta mais essas coisas, Rosa. Todo mundo vai querer te dar uma força.
— Eu sei, mas sei lá.

Uma pausa.

— O Guilherme comentou?
— Claro que não, e ele ia ser trouxa de comentar? Ele vai se fazer de morto.
— Será que ele não vai me escrever? Mandar uma mensagem, uma DM, nada?
— Esquece isso. Até porque agora você precisa entrar lá no seu perfil e falar com as pessoas. Botar um coraçãozinho que seja nas mensagens.
— Nem morta.
— Me empresta esse telefone.

Rosa jogou o celular pra amiga, que digitou a senha e entrou direto no Instagram.

— Prefere ditar e eu escrevo?
— Também não sei mais falar.

— Claro que sabe. Vamos lá. Eu te ajudo. O que a gente responde pra coraçãozinho laranja?

— Outro coraçãozinho laranja.

— Isso vale pra qualquer emoji?

— Só se for coração, florzinha e sorriso.

— E se for coisa séria?

— Se for coisa séria, eu preciso pensar.

— Uma moça perguntou se você leu o livro da Samanta Villar sobre carga mental.

— Não. Não li. Mas não fala isso assim. Eu vou ler e depois eu volto aí e respondo.

E logo emendou, vendo a cara de descrédito da amiga.

— O que foi? Eu leio super-rápido.

— Se cada pessoa comentar falando o nome de um livro, você vai ler cada um antes de responder? Sério?! Só uma conta rápida, quer ver? Me diz uma coisa: quantos seguidores você tem?

— Uns doze mil.

— Eita, tá mais pra noventa mil.

— Ai, Deus, mas por quê?

— Porque as pessoas gostaram do que você falou.

— Mas eu já falei. No passado. Ontem. Não tenho nada de novo pra falar hoje.

— Claro que tem.

— Vou recitar trechos de *Meninas malvadas*. Acho que é a única coisa que eu sei de cabeça.

— Você escreve. Essa é a sua profissão, aliás.

Rosa ficou calada. Era difícil ouvir aquilo. Quando é que você pode preencher na ficha do dentista: Profissão – escritora? É quando vende um milhão de livros? Dez mil? Quando escreve uma coluna fixa num jornal? Que jornal? Quando você escreve mil palavras? Ou quando gosta de cinco palavras que escreve? E não era isso um pouco, o seu post? O fato de que o Guilherme nunca a apoiou em nada e de que sempre desmereceu qualquer escolha dela de como usar seu tempo porque "arte não é trabalho"?

— Nanda, eu já não sei mais de nada. Eu só não acho que o Guilherme seja má pessoa. Talvez seja, sei lá. Eu só acho que às vezes ser dura demais acaba deixando a pessoa menos... tridimensional. Porque cada pessoa passou por tanta coisa, tanto trauma, tanto...

— Sim, e você também. Esse é um trauma seu e você decidiu contar. Isso não deixa o Guilherme menos tridimensional. Pelo contrário, essa é justamente uma das dimensões dele.

— É, só que "má" é uma palavra meio... antiga.

— A gente pode mandar esse roteiro pra Disney. Depois desse monte de filme de Malévola e Cruella, eles podem fazer o mundo do ponto de vista do Guilherme.

— Ah, para.

— Se bem que eu não veria nem morta um filme do ponto de vista do Guilherme. Deve ser uma chatice, não deve nem ter música.

— Eu só disse que não tem isso de ser "boa pessoa" ou "má pessoa". Quer dizer, nem sempre. Tem um gradativo de bondade, não? Tipo aqueles testes com várias bolinhas que vão de "Concordo totalmente" até "Discordo totalmente".

— Rosa, você é uma boa pessoa, totalmente, com todas as bolinhas completas. Aliás, eu também sou.

Sabe por quê? Porque a gente se importa com os outros. A gente não faz as pessoas se sentirem pequenas. E, quando a gente erra, a gente pede desculpa e pensa um monte de coisa e fica aqui esparramada neste sofá até saber como resolver.

Rosa deu de ombros. Encheu mais uma xícara de café. Meio neurótica, não parava de pensar um monte de coisa, construir e desconstruir pensamentos. O post, aliás, nunca fora sobre o Guilherme. Ela não tinha nem escrito esse nome, nem pronome, nem aludido a ninguém específico. O post era sobre ela. E talvez a dificuldade estivesse mesmo aí. Como é que a gente pode dizer "escrevi um negócio sobre mim mesma"? Só isso. Sou eu. A minha cara. Uma selfie de batom, só que em palavras. Era como se Rosa estivesse ousando admitir que existia.

– Tem gente que passa por tanta coisa pior. Então acho meio esquisito também eu, diante do meu privilégio, sabe, das coisas que eu consigo fazer, do espaço que eu tenho...

– Eu sei. Mas você é uma pessoa. Uma pessoa adulta. E você posta o que acha importante postar.

– Minha mãe reclamou da minha selfie.

– Você deixa muita besteira entrar na sua cabeça. Fica tentando viver sem desagradar ninguém.

Rosa respirou fundo, porque sabia que a Fernanda estava certa. Era bom ouvir uma pessoa que estava certa.

– Rosa. Você tá tão bem. Com tanta clareza das coisas. Tão saudável. Sua selfie estava um escândalo.

– Para. Você tá zoando ou tá falando sério?

— Claro que eu tô falando sério. O que a gente responde praquele emoji que parece um fantasma derretendo espantado?

— Eu preciso falar com o Guilherme.

— Você vai falar com ele, se quiser, mas ele é que está precisando querer falar com você.

— Eu sei.

Fernanda entregou o celular pra Rosa, que o jogou em cima da mesa.

Chega de assunto de post.

Agora era hora de parar e pensar um pouco. Descobrir qual era a resposta certa pra cada elogio, pra cada desabafo, pra cada pedido de ajuda. Tinha que ter uma resposta certa pra mudar tudo o que ela estava sentindo, não tinha? E agora também precisava ter uma pra mudar tudo pra cada pessoa que tinha mandado mensagem e estava oficialmente no mesmo barco. Tinha que existir uma resposta, um guia, algo que explicasse como é que a gente faz para não se deixar diminuir, engolir, desaparecer, explorar e levar tanta porrada a cada vez que abre a guarda. Uma resposta clara. Alguma coisa mais profunda, mais definitiva, alguma coisa que nenhum gif, nenhuma figurinha, nenhum fantasma derretendo espantado poderia resumir. E, pra cada coisa dessa, ela ia escrever um post – um post não, mas um texto mesmo, ou melhor, um monte de texto, queria dividir tudo, queria se sentir parte. Queria baixar a guarda sem ter medo. E se ajudasse uma pessoa só, por um dia só, já tava bom.

FALA

Ele não vai falar comigo. Está tudo certo. Eu sou uma mulher adulta. Não posso mais ficar assim. Não é possível que todo ano seja isso. Não vou nem olhar e pronto. Vou seguir minha vida como se nada tivesse acontecido. Não sei nem por que eu ainda me preocupo. Só porque ano passado eu achei que já tinha superado isso e não tinha superado coisa nenhuma? Que besteira. Tanta coisa que eu não tinha superado no ano passado e que superei agora. O fim da calça skinny, por exemplo, demorou para mim. Tudo tem sua hora. Ele não vai falar comigo. E, se falar, problema dele, porque eu não vou ouvir.

Tanto problema maior para lidar: dar um jeito no cheiro de mofo aqui neste quarto, abrir a mala, pendurar as roupas no armário, perceber que metade das roupas que eu coloquei na mala não combinam entre si e a outra metade não cabe mais em mim. Tinha que ter feito armário-cápsula, já sei. Tinha que ter abraçado cada roupa e me perguntado se ela me faz feliz. E roupa faz alguém feliz? Roupa é legal. Mas não tenho nem coragem de olhar pro meu suéter listrado e dizer: então, tenho uma notícia, se você está no meu armário, a responsabilidade de me trazer alegria agora é sua, lide com isso.

Sei que estou vendo coisa demais nisso. As pessoas gostam de dicas, de organização de meia, de achar uma fórmula secreta para ter confiança de que não estão fazendo besteira, eu sei. As pessoas não, as mulheres. Que ninguém chega pra Schopenhauer e diz "Segura essa camisa, Schopenhauer, e me diz se ela te faz feliz". Sei lá. Acho que homem triste pode. Deixa, ele está pensativo com seus botões. Um incompreendido. Artista. Profundo. Agora, você? Jura que vai chorar? Frágil. Histérica. Uma chata. Segura esse vestido, meu amor, está na sua cartela de cor, olha que maravilha, pronto, a dor já passou.

Pois vai ter roupa sem combinar e pronto.

Quando eu desembarquei no aeroporto hoje de manhã, senti tanta coisa ao mesmo tempo. É assim todo fim de ano. Como se você fosse despencar do topo de uma montanha-russa da qual já conhece cada loop. Acho que passo o ano inteiro esperando ansiosamente o Natal chegar — mesmo sabendo que a festa vai estar cheia de tio de quem eu já não gosto mais tanto assim — só para vir para a casa dos meus pais. E, na hora que entro aqui, sinto a mesma mistura de alegria com angústia todas as vezes. Eu olho em volta e tem um monte de memória boa, tem uma melancolia doida, tanta coisa que ia dar certo e não deu, tem aquele quadro muito feio no hall, a melhor torta de morango do mundo, a praia, meu pai e minha mãe. E tem esse fantasma desse Ken.

— Eu não sou fantasma, Nara.

— Não começa.

Por que é que eu ainda me dou ao trabalho de responder, não me pergunte. Porque, por mais que eu quisesse, quando era pequena, ter um boneco que fala, nunca quis ter um brinquedo que falasse coisas assim, saídas da cabeça dele. A pessoa gosta de ouvir coisas reconfortantes dos seus brinquedos. Coisas esperadas. Já é hora de dormir; mamãe, eu fiz xixi; ah, quero um carinho; tem uma cobra na minha bota. Um repertório familiar e limitado, por favor.

O problema é que essa história começou há muitos anos, por causa de um mal-entendido estúpido. Eu devia ter uns oito anos e hábitos um tanto estranhos com as minhas bonecas. Lembro especificamente de uma boneca que eu tinha. Um dia, rabisquei veias vermelhas na cabeça dela, depois arranquei a cabeça fora e coloquei uma lanterna por dentro, criando uma cabeça de bebê voadora que fazia um efeito engraçado quando a gente apagava a luz.

Taí. Se bem que me veio agora um pensamento.

Será que foi essa brincadeira que gerou alguma maldição eterna? O deus dos brinquedos de plástico, se sentindo insultado, resolveu me condenar? Mas não, Nara, deixa de doidice. Pelo menos o deus dos bonecos de plástico tem que ter algum senso de humor.

Quando era pequena, eu tinha os mesmos brinquedos que todas as meninas da minha idade tinham: massinha de modelar, panelinhas, bonecas bebês, minienceradeiras e Barbies. Talvez fosse por causa do meu olhar cinematográfico, mas, de todos esses, sempre preferi as Barbies. Era o tamanho, acho, que satisfazia minha vontade de ter sempre um plano geral da brincadeira. Com as Barbies eu podia me deitar no chão, afastá-las do corpo e ficar assistindo a elas falando umas com as outras, todas à vista. Ou colocá-las dentro de uma piscina rosa que borbulhava, se você apertasse o botão lilás – o único apetrecho de Barbie que eu tinha que não era roupa ou sapato.

E, pra ser muito sincera, a verdade é que nem sempre eu gostava da conversa (profunda, mas meio passiva) das Barbies na piscina. Então não tinha jeito. Entrava sorrateiramente no quarto do meu irmão e roubava a coleção de Max Steel dele. Os Max Steels tinham armas, skates e cara de quem fazia várias coisas aventureiras, muito além de filosofar. Realizávamos assaltos a cofres de banco, motins, aventuras na selva e missões de resgate de todos os tipos. Era divertido.

O problema é que eu estava sendo muito menos sorrateira do que imaginava, porque, por motivos de preguiça, muitas vezes esquecia de devolver os bonecos, que acabavam esquecidos no chão do meu quarto.

– Não era bem assim.

– Você não era nascido, então não pode ficar dando opinião em coisa que nem estava aqui pra saber.

Não prestem atenção no que ele diz. Ele adora me desdizer.

– Que mentira, Nara.

– Posso terminar de falar?

Enfim. Aparentemente meus pais tiveram uma reunião a respeito dos Max Steels roubados e, juntando informações sobre o assunto na moderníssima rede de amigos deles, concluíram que eu roubava os Max Steels pra eles se *casarem* com as minhas Barbies. Sim, isso mesmo. Eles acharam que era uma ideia muito plausível eu ter o prazer extremamente específico de ver casamentos heterossexuais se desenrolarem durante todas as minhas brincadeiras. Todos os dias. Acho que pararam e pensaram assim: aquelas Barbies tomando banho de piscina e batendo papo devem estar loucas pra serem interrompidas.

Resultado disso é que chegou o Natal daquele ano e meu presente, adivinhem, foi um Ken.

Sim, *este* mesmo Ken.

E, sim, meus pais deixaram meu quarto montado exatamente como estava quando eu saí de casa há sete anos. Eu sei, parece meio esquisito. Parece que eu morri. Ou que eu congelei. Ou que eu morri congelada. Coisa deles. Mas o resultado mesmo é esse anacronismo, esse cheiro de mofo e essa rinite.

— Posso falar agora?

— Não.

— Você disse que eu só não podia falar da época que não vivi.

— Eu disse que você não podia de forma alguma falar do que não viveu. E não que podia falar do que viveu.

— Você sempre me trata desse jeito.

— Eu só estou tentando contar uma história.

— Eu passo o ano inteirinho esperando por você.

— Porque você quer! Você não pode me tratar como se eu te devesse alguma coisa. Eu já teria inclusive te doado para uma criança há muitos anos se você não ficasse agindo dessa forma esquisita e passivo-agressiva.

– Era melhor ter me doado logo do que ficar falando comigo desse jeito. Você sempre faz eu me sentir péssimo. Ah, a minha vida é um inferno.

– Você não tem vida.

– Sério? Se eu não tenho vida, por que você fala comigo? Só pra me magoar desse jeito? Se você soubesse como mexe comigo.

– Você é que sempre começa a puxar assunto.

– Porque eu vivo sozinho. Não é justo.

– Não é culpa minha.

– Nara, você pode me ouvir, ouvir as minhas necessidades?

– Pelo amor de Deus. Não é possível. Conversa com uma boneca qualquer. Eu vou acender um cigarro. "Que também sem um cigarro, ninguém segura esse..."

– Você sabe que seu pai não gosta que você fume.

– ..."rojão".

Pronto, guardei o cigarro. Era isso? Venceram. Mas também não estou ficando doida de parar tudo por causa de um brinquedo. Estou? É melhor não falar mais nada e ir tomar um banho. Chega. Desse jeito, só respirando mesmo. Aliás, vou explodir de tanto ar. Inspira. Expira. E sem cigarro, que é pior. Não dá.

– São vinte anos de DR. Vinte! Não há quem aguente. No começo, era mais fácil, porque, quando eu brincava, todos os bonecos tinham voz – na minha cabeça –, todos os bonecos tinham voz. Mas eu comecei a crescer e as Barbies se aquietaram. Todos se aquietaram. Conseguiam me ver crescendo de longe. E você começou a falar e a falar sem parar. Sozinho. Sem ninguém te perguntar nada. Discursos. Qualquer coisa que eu faça sozinha, você arranja um jeito de fazer com que eu me sinta culpada. E, francamente, eu cansei.

— Tá bom, Nara. Chega. Melhor me doar pra uma criança qualquer mesmo.

— Ken, você fala. E fala muita besteira. Eu não quero traumatizar uma criancinha aleatória.

— Você sempre me ataca desse jeito quando está insegura. Eu não vou nem levar a sério o que você está falando, porque eu sei que o problema, na verdade, não é esse. O problema é que daqui a pouco você vai ter que ir jantar com seus pais e sabe que eles vão perguntar sobre a sua vida. E vão julgar. E perguntar o que aconteceu, dizer que o seu namoro estava indo tão bem. E você não vai querer contar nada pra eles.

— Você não sabe o que aconteceu com o meu namoro.

— Mas pra mim você pode contar, se estiver precisando conversar um pouco.

— Eu não estou precisando falar sobre homem.

— Tá bom. Desculpa. Eu só quis ajudar.

Pronto. Ficou em silêncio um pouco. Será que eu exagerei? Será que ele mudou nesse tempo em que a gente não se viu? Que merda. E eu que não mudei nada? Fui ficando mais cansada, mais rígida, mais flácida, mas mudar, não mudei. Era melhor ser de plástico. Era melhor achar que sei tudo sobre todas as coisas, feito homem. Era melhor mesmo acender um cigarro, mas aí meu pai vai ter um troço.

Fui tomar um banho e saí do banheiro já pronta pro jantar. Desenvolvi uma relação estranha com o Ken. Não é que eu me importe de ele me ver sem roupa. Nunca tive disso. Me importo é que ele veja como eu estou frágil, patética, escolhendo uma roupa, achando que vai caber, que vai valorizar meus olhos, um tanto iludida, ajeitando daqui e dali, puxando o zíper, olhando de perfil no espelho.

Um dia eu comentei com a mãe da minha melhor amiga, quase minha mãe também, uma mulher forte e que eu admiro demais: "Acho que minha mãe gosta menos de mim quando eu engordo". E ela disse, meio pensativa: "Eu acho que eu também gosto menos das minhas filhas quando elas engordam". E riu. Era brincadeira. Mas será que era brincadeira mesmo?

Ainda assim, agora, de roupa: blusa e calça e sapato, a coisa não parece melhorar muito. Roupa serve pra proteger você dos elementos da natureza, não é? Então já está boa o suficiente se estiver cumprindo sua função. A verdade é que eu sempre quis ser homem pra não ter que me preocupar com essas coisas. Sentar de perna aberta. Andar na rua à noite. Falar a idiotice que eu quiser. Não sentir medo quando outro homem entra no elevador, quando outro homem anda na mesma calçada que eu. Botar uma calça jeans e uma camiseta branca e saber que ninguém vai nem lembrar com que roupa eu estava nesse dia.

É só que essa calça me deixa mais gorda.

E daí, né? Grande merda. Que pensamento idiota. Uma calça não muda quem eu sou. E, se eu engordei, qual é o problema? Meu colesterol é bom. Meu HDL é fantástico. Custa eu me olhar, olhar pra esse corpo, de carne e osso, e achar bom? Esse corpo que eu consegui manter vivo e razoavelmente hidratado até hoje? Essa calça é tão bonita. Tá bom. Tá ótimo. Quanta doidice, por causa de uma roupa. Quanta pressão. Talvez o jet lag tenha me feito perder a noção das coisas.

– Ken?
– Hum.
– Você acha que essa roupa tá legal? Olhando daí, do seu ângulo?
– Ninguém te vê assim, de cima.

Ele tinha razão.

– Você tem razão. Estou insegura porque tenho certeza de que os meus pais vão ficar me julgando porque engordei. E porque acabei o namoro. E porque o tempo passa.
– Eles só querem saber se você está bem.
– Claro que eu não tô bem. Quem tá bem? E por que é que eu não posso *não* estar bem de vez em quando? Ou quase sempre? Ou o que acontecer primeiro?
– Mas eles querem saber se você se magoou, se precisa de ajuda. Querem saber o que aconteceu com aquele rapaz. Ele não era ótimo? Um novo homem? Um homem mais conectado com os seus próprios sentimentos?
– Claro que não era. Só parecia que era.
– Você sempre caiu nisso, de um homem mais conectado com os seus próprios sentimentos.

— Não entendo o que você acha que eu devia procurar num homem, senão o mínimo.

— E, no entanto, esse parecia estar indo bem e você acabou o namoro mesmo assim.

— Eu terminei porque aquele namoro estava horrível. Foi fácil terminar? Não foi. Perdi a confiança na pessoa mais importante pra mim neste mundo. Minha alma gêmea. Meu amor maior. Ou será que essas coisas nem existem? Eu sei lá. Demorei a entender isso tudo. Demorei a assimilar as coisas que aconteceram, demorei a ficar sabendo de detalhes que mudavam as coisas pra mim e fiquei feito Ariadne segurando só um fiapo chamado "Amor", sem me importar com o Minotauro. E o Minotauro comeu minha alma toda de uma vez. E não fico mais querendo falar sobre isso, porque a verdade é que eu fui burra, e eu tenho horror a gente burra.

— Nara. Você não é burra. Você é uma pessoa boa. Talvez boa demais. E aí sempre faz isso: deixa esses caras fazerem o que quiserem com você.

— Não. Eu fiz o que eu quis fazer. E ele fez o que ele quis fazer. As escolhas só não combinaram muito entre si.

— Porque ele te traiu.

— Por que você fala isso desse jeito?

— Desculpa, eu só chamei as coisas pelo nome.

— Não é pra chamar pelo nome. Com nome dói muito mais. O que aconteceu?

— O que aconteceu, o quê?

— Acabou a trégua? Eu estava aqui abrindo o meu coração pra você, aí do nada você fala: "Traição". Que desnecessário.

— Você sempre faz isso, fica querendo fingir que não aconteceu nada, que não foi nada, só pra quebrar a cara daqui a pouco de novo.

— Você não sabe se eu vou quebrar a cara de novo.

— Vai ficar sozinha?

— Não sei. Não tenho que te dar satisfação da minha vida.

— Sua mãe vive preocupada porque você não tá numa idade que dê tempo de quebrar a cara muitas vezes.

— E existe isso? Tem número finito de vezes pra quebrar a cara? Tem um portal? Me conta mais um pouco sobre essa teoria. Tem jeito de, de repente, a pessoa ficar inquebrável? Incólume? Indestrutível?

— Acho que a sua mãe quer dizer que seria melhor se alguma hora você parasse de quebrar a cara e achasse alguém.

— Ninguém vai quebrar a cara.

— Pelo menos se você ainda pensa em engravidar.

— A minha mãe está completamente por fora do mundo real, aparentemente.

— Eu acho natural que você queira ficar sozinha um tempo.

— Que bom. Porque eu nem sei se eu tenho uma alternativa.

Decidi que definitivamente estava mais do que na hora de fumar um cigarro e peguei a minha bolsa. Que se dane se meu pai odeia cigarro. Que se dane se faz mal. Tem hora que eu mereço poder escolher eu mesma o que vai me fazer mal. É até bom. Sem surpresa. Você sabe que o cigarro vai te fazer mal desde o momento em que você o compra. É horrível? É. Mas você descobrir de surpresa que algo te faz mal é pior, eu garanto.

– Oi. Eu só vim ver se você já queria ir jantar.

– Oi, pai.

É só deixar o Ken pra lá e ir pra sala. Normal. Esquecer as coisas que ele ficou dizendo. Leve. Sem expectativa. A mamãe fez muita comida. É como se já fosse o próprio Natal, mas hoje é só a véspera da véspera do Natal. Mas como é que a pessoa fica sentada à mesa, exausta desse jeito? Com tanta mágoa e confusão na cabeça? Ah, tem torta de morango. Vai ser mais fácil. Melhor, inclusive, falar logo, tirar isso da frente.

– Mãe, eu não queria falar muito sobre o fim do meu namoro, se você não se importar.

– Minha filha, eu estou tão feliz que você chegou! Eu só quero falar do que você quiser. Eu fiz a batata que você gosta.

Pronto. Peguei o prato de batata e dei o primeiro sorriso desde que desci naquele aeroporto cheio de estacionamento. Não pareceu ter prestado atenção na minha roupa, a minha mãe. Foi como se eu estivesse de calça jeans e camiseta branca.

Agora fiquei pensando que a gente confunde julgamento com sentença. Não sei se minha mãe gostou da minha roupa, nem se ela está preocupada que eu não engravide, nem se tudo isso não pode mudar daqui a exatamente um minuto. Quem é a minha mãe? Será que eu ainda sei? Será que eu fiquei com tanto medo de ser julgada que me sentenciei de vez?

Francamente. Eu não posso dar ouvidos à porcaria de um boneco de plástico.

O bom de ter um brinquedo que fala algumas frases-padrão, e isso valia pra qualquer criança, era já ter um pré-roteiro pra brincadeira. Você não tinha que partir do zero. Tava ali parada sem ideia, aí o brinquedo falava: "Mamãe, fiz xixi", e você já sabia por onde começar. Fora que eu realmente acho a repetição uma coisa fantástica. O "Bolero", de Ravel, por exemplo, tem dois temas diferentes que se repetem oito vezes cada um. Mas outra opção, também, seria não ter nenhum brinquedo que falasse coisa chata.

Resolvi abusar.

— Pai, eu estou parando de fumar, mas eu queria fumar um cigarro.

— Vamos ali pra varanda.

— A gente pode ir junto? Seu pai fica calado assim, mas a gente estava morrendo de saudade.

Vontade de chorar danada. De desabafar. Inspira. Expira fumaça. É ruim. Preciso parar. Preciso parar com essas coisas com que me acostumei.

— Mãe, eu tava pensando que eu queria dar uma desocupada lá no meu quarto. Tirar umas tralhas, umas coisas que eu não uso. Pode ser?

Ih, acho que se ofendeu. Quase quero voltar atrás: mãe, não me olha com essa cara. Mas, olha só: ela parou de repente, olhou bem pra minha cara e sorriu.

— Claro. Eu entendo. Mas é que me dá uma agonia ver o seu quarto vazio, parece que você morreu.

— Claro que não, mamãe. E eu posso deixar até umas coisas novas nele. Só queria... sei lá. Recomeçar.

— Você quer ajuda?

— Claro. A gente faz que nem naquele programa: tira tudo dos armários e das prateleiras e joga tudo em cima da cama.

— É pra arrumar ou pra deixar pior ainda?

— Aí a gente pega coisa por coisa, tem que ser uma por uma, segura e se pergunta: isso me faz feliz?

— Tá bom. Mas isso não é coisa demais pra pedir de um monte de coisa?

Igualzinha a mim, a minha mãe.

Pegamos o saco de doação e levamos para o quarto. Afastei a mala para um canto, joguei o resto do maço de cigarro no saco de lanche da empresa aérea, que ainda estava largado na penteadeira, e, com a alma limpa, começamos a jogar as coisas na cama.

Mexendo nelas, uns lençóis antigos, uns posters do Blink-182, fico pensando nesses últimos vinte anos. Em todas as vozes, todos os amores perdidos e todas as vezes que tive que ouvir as palavras "traição" e "mentira" e "culpa" e mais um monte de palavras tristes em frases improvisadas.

Ele, ali quietinho, já sabe o que eu vou fazer. Já entendeu tudo.

— Nara, você sabe que não pode me dar pra uma criança aleatória desse jeito.

Não respondi. Peguei o Ken, olhei bem pra cara dele e perguntei bem alto: "Isso me faz feliz?". E sem nem pensar duas vezes, joguei ele no saco de lanche de uma vez só, junto com o maço de cigarros e meio sanduíche de cream cheese com peito de peru.

DISRITMIA

Eita que eu quero ouvir uma música de chorar em paz, ave Maria, qual o problema? Quem já viu essa agonia agora de tudo ter que brigar pra ficar bem? Quero ficar na fossa um pouquinho, e daí? Aumenta o volume desse rádio que essa música é bonita que só. Gosto de música assim, bem triste.

Agora querem me obrigar a ser sabida e lidar com tudo que me aparece. E eu sou enciclopédia agora? Eu sou uma mulher, cacete. Sei lá eu fazer tudo? Tem hora que faço tudo errado mesmo, fazer o quê? Ninguém espera sabedoria de homem aqui, vai esperar de mim por quê? E se eu quiser fazer papel de trouxa? Vocês agora querem me salvar? Deviam ter mudado o mundo todinho faz tempo, porque agora ficou meio tarde pra mim. Fiquei velha. E daí se eu quiser ir curar meu nego que chegou de porre lá da boemia? O tóxico foi ele, que foi tomar um porre e se divertiu, ou fui eu, que fiquei aqui em casa passando roupa? Porque talvez, só como suposição, talvez, só talvez, a besta seja eu.

Até porque homem nunca prestou. Que leseira isso. Vai procurar um homem que preste a essa altura, vai ficar quarando o resto da vida. Não conheço um homem que valha alguma coisa, não valem nem a liga que prende o meu dinheiro. Eu disse assim mesmo pra minha filha, só que ela fica uma fera comigo. Ela diz: "Tás querendo comparar meu noivo com esse teu marido que não te faz um carinho, um elogio?". Errada ela não tá. Quero comparar mesmo. Porque fingem ser tão bonzinhos esses boyzinhos, depois são todos os mesmos inseguros de sempre, que não podem ver mulher, porque eram feios quando adolescentes, coitados, aí precisam compensar. Sim, agora o problema é que todo homem foi feio na adolescência, então complica. Um trauma besta danado esse que eles inventam na falta de trauma melhor.

Só que a gente tem três opções: compreender que eles são assim, fingir que não sabe que eles são assim, ou mandar todos à merda. Eu faço os três. Às vezes no mesmo dia. É um sistema perfeito? Não. Mas não conheço outro melhor. Infelizmente não nasci gostando de namorar com mulher, azar danado, dizem que é bem mais simples. Só pode ser mesmo.

Aliás, um jeito de começar a mudar o mundo podia ser a exigência da licença-paternidade. Mas homem nenhum briga por isso. Parece que eles não entenderam muito bem esse conceito, porque todo pai que eu conheço acha que licença-paternidade é o direito deles de dizer: "Licença, vou ali tomar uma cerveja" e aí deixar os meninos tudo com a mãe.

Meu pai teve um filho com a vizinha, durante um caso de anos, e minha mãe fez o quê? Nada. A mulher ainda botou o nome do meu pai no menino. E minha mãe lá. Sem achar bom, mas sem saber que tinha direito de não achar bom. Lá, parada. Quando meu pai envelheceu, ela cuidava dele com tanto amor, precisava ver o olharzinho dela olhando pra ele. Ficou esquecida por causa do Alzheimer (ou porque quis?). Já no finzinho, um dia eu perguntei pra ela: "Mãe, como é o nome do seu marido?". Ela respondeu: "Eu esqueci, mas tenho anotado". Deus abençoe minha mãe.

Mas agora me explica isto: cresci assim, assistindo à *Branca de Neve*, todo mundo numa negação danada da realidade. Agora vocês esperam que eu vire revolucionária? Revolução é acordar inteira de manhã, mesmo com o mundo rodando desse jeito, cada vez mais rápido.

Vou dizer que tá bom não. Queria melhorar ainda. Mas e velho, tem jeito? Eu não sei, não, veja o caso do Rogério, por exemplo. Eu falo, falo, e ele não melhora em coisa nenhuma. Minha filha vive dizendo: "Besteira isso teu, que é só você parar de aceitar as coisas e pronto. Você não tá essa velha toda, não". É. Pode até ser que ela esteja certa, mas... eita que preguiça. Não é melhor um homem ruinzinho assim, bem mais ou menos, mas que a pessoa já se acostumou com ele? E outra: se eu, assim como estou, já fico mil anos na frente deles, imagina se eu melhoro um pouco? Imagina se eu fico sabidíssima, toda desenrolada, assim, moderna, cheia de juízo. Não vou mais suportar um homem desses, tipo o Rogério. Aí vai acontecer o quê? Vou morrer sozinha.

Daqui a pouco minha filha chega pra jantar com aquela leseira daquele namorado dela. Nunca vi mulher pra gostar tanto de homem leso. Já disse mesmo pra ela: "Nem se inspire em mim pra essas coisas, que eu fui seguir minha mãe e veja a tragédia que deu. Nem assista à *Branca de Neve*. Tem filme melhor pra ver". Outro dia eu tava vendo um, a mulher bem braba matou os homens tudinho. Não precisa ser assim também, que é exagero, pode ficar tudo dentro da lei, mas só que ainda é melhor do que ficar morta levando beijo de semidesconhecido.

Eita, música boa. Que voz, que letra bonita danada. Vou ficar aqui cantando e passando roupa que tá melhor do que na rua. O Rogério se achando porque saiu, daqui a pouco chega mansinho, mansinho. Boto ele pra tomar banho de roupa e tudo, se for o caso, depois jogo ele lá na cama e nem ligo. Ainda vou dizer pra ele: "Ô Rogério, tu sabe que, se eu melhorar, tu já era, né?".

O CHEFE

"Se você tem apreço pela sua vida", disse a srta. Yolanda, "não vá importunar o chefe hoje".

Era assim o chefe. Nos dias em que estava ensimesmado, irritado ou que simplesmente tinha entrado com o pé esquerdo no escritório, o melhor era nem cruzar com ele. Se fosse necessário cruzar com ele, em caso de uma reunião inadiável, por exemplo, o melhor era se sentar atrás de uma coluna, fora de sua vista. Era conhecido o fato de que, às vezes, demitia pessoas apenas por estarem no seu campo de visão.

Caso você cruzasse com o chefe nesses dias, caminhando pela empresa, o melhor era parecer apressado, porém jamais atrasado, o que seria uma catástrofe. Também precisaria deixar claro que a pressa não era porque estava indo ao banheiro; ir ao banheiro em hora de trabalho não era uma coisa bem-vista pelo chefe. Uma opção era parecer ensimesmado também. Alguns, normalmente os com mais tempo de empresa, conseguiam isso. Andavam numa velocidade levemente acelerada – perfeita! –, com o cenho cerrado, numa expressão que mistura concentração e leveza, nunca de preocupação – perfeita! –, olhando fixo para alguma sala à sua frente.

Nesses dias, que eram quase todos os dias, os demais funcionários falavam baixo, não riam, não conversavam uns com os outros. O chefe não via amizade entre funcionários com bons olhos. Fazer o quê? Era assim o chefe.

Nos dias em que o chefe estava mais leve, no entanto, também não convinha arriscar aborrecê-lo, logo, todos se comportavam exatamente como nos dias em que o chefe estava carrancudo, só pra garantir. Ninguém nunca perdoou o George, que cismou de pedir aumento justo num dia em que o chefe tinha dado um meio sorriso. "Mas em que outro dia eu deveria pedir?", choramingava o George, sem que ninguém passasse a mão na sua cabeça. Com aquela aperreação extra, o chefe não arredou o pé da empresa até as dez da noite e, exaustos, todos os demais funcionários precisaram fazer hora extra. Horas extras que nunca seriam pagas, claro. Quem mandou aborrecerem o chefe?

A srta. Yolanda traduzia eventualmente, nos dias mais complexos, os temperamentos do chefe. Fazia isso em poucas palavras, sub-repticiamente, como um copiloto numa eterna turbulência. Sendo assim, todos tentavam cruzar com ela no cafezinho, ou nas discretíssimas idas ao banheiro. Queriam saber como estava o chefe.

Se você não gostasse de gritos direcionados à sua pessoa, deveria: a) torcer pelo bom humor do chefe; e

b) se preparar, porque invariavelmente esse momento chegaria. Às vezes não eram exatamente gritos. Às vezes era um tom de voz rascante, rasgado, forte, um tanto humilhante. Às vezes era só um silêncio. Sabia gritar calado, esse chefe, olha só.

Era má pessoa o chefe? Apenas aprendeu a ser assim com o próprio chefe? Era fruto de um tempo antigo e imutável? Sendo um péssimo chefe, seria, na verdade, um grande chefe? O que diziam os números, as pesquisas, a netinha do chefe, a bolsa, o dono, a etiqueta, os advogados especializados, o moço do café, o capital, a srta. Yolanda, Deus, você? Se bem que, se eu fosse você, não responderia a questionários sobre o chefe, pois nunca se sabe para que fim as pessoas usam essas coisas. Caso seja obrigado a responder um questionário sobre o chefe, nunca assine e, se possível, utilize o computador, para não deixar pistas da sua caligrafia.

Nas festas da empresa (que festas?), os funcionários se mantinham sérios, sem beber nem uma gota de álcool, e, depois que o chefe ia embora, se arrastavam abraçados para o bar mais próximo, para afogar suas tristezas e humilhações cantando canções de soldados da Primeira Guerra. "Estamos aqui porque estamos aqui porque estamos aqui porque estamos aqui."

A falta do chefe normalmente ocupava mais espaço do que a presença. Quando o chefe não estava, os subchefes, aqueles de maior patente, se tornavam cruéis e ciumentos. Acostumados a viver diminuídos, sob tanta frustração e pavor, disputavam internamente a obediência e fidelidade de todos os outros. Ninguém queria cruzar com os subchefes naqueles dias. O melhor a fazer era olhar fixamente para o computador, digitando coisas rapidamente, ainda que a esmo, ainda que sem fundamento nenhum, ainda que fossem palavras em uma língua morta. De preferência, atrás de uma coluna.

Era assim o chefe. Era tão ruim que nem sua ausência era boa. Falava pouco, mas, quando falava, era pra interromper. Explicava pouco, mas, quando explicava, era para uma mulher.

Alguns faziam denúncias anônimas ao RH, mas não havia RH que resolvesse, pois até o RH recomendava apenas que as pessoas se relacionassem o mínimo possível. Relações Humanas são complicadas demais e tomam muito tempo de trabalho, não estamos aqui pra isso. O RH, dessa forma, fazia vista grossa para algumas relações desumanas, para não precisar se meter, mas, mesmo as humanas, eles não recomendavam. Que não se relacionem nunca. Não formem duplas, nem grupos, nem times, nem nada.

Se você precisasse, digamos, por razões práticas, pegar uma carona com um colega, o ideal seria descer uma esquina antes e caminhar o resto do trajeto. E entrar sozinho, levemente suado, levemente culpado, levemente desconfiado de que alguém pudesse ter percebido. Nenhuma paranoia de um possível julgamento seria pior do que ser ativamente julgado.

Ninguém ali na diretoria gostava de invenção, nem de novidade. O funcionário perfeito não era quem fosse o mais perfeito, e sim o mais assíduo, taciturno e pragmático. Que não desse trabalho, nem ideia.

Caso você estivesse esperando um feedback do chefe, não convinha se demonstrar ansioso, nem animado; também não convinha seguir sem sua aprovação, mas também não era de bom-tom ficar parado esperando pelo chefe. O chefe poderia não ter tempo pra você tão cedo. Ninguém sabia se torcia pela rapidez ou pela demora do chefe. Torciam para serem esquecidos. Ou, na melhor das hipóteses, torciam para receberem recados via srta. Yolanda, mensagens curtas, práticas e de fácil compreensão. Quando o chefe dizia um mísero e curto OK, era uma comemoração com fogos de artifício silenciosos dentro do coração de cada funcionário.

Quanto menos você fosse bom, mas também que não fosse ruim, melhor – era a sugestão geral. Nunca gostou de ser obrigado a elogiar trabalho de ninguém. Era assim o chefe.

O maior problema, um quebra-cabeça quase sem solução, era se alguém, farto daquela secura, farto daquele esquema, farto daquele medo constante, decidisse pedir demissão. Todos os demais tentavam dissuadir esse alguém a qualquer custo: imagina o mau humor que vai ficar o chefe! Mas às vezes esse alguém não se importava e dizia: "Quem são vocês, que nunca foram meus amigos, que sempre me jogaram na fogueira, que nunca me deixaram sequer tentar melhorar as coisas, para pedir que eu fique?".

E ia firme, na velocidade que bem entendesse, com a cara que achasse boa, sem medir seu talento nem o seu tamanho e sorria para a srta. Yolanda. E então dizia: "Quero ver o chefe". E, nas raras vezes em que isso acontecia, assim desse jeito, o chefe já pressentia tudo, esperto que era, e abria a porta ensimesmado, claro, mas também cauteloso e até meio triste – olha só, vamos perder um daqueles! Era assim o chefe.

FUTURO DO PRETÉRITO

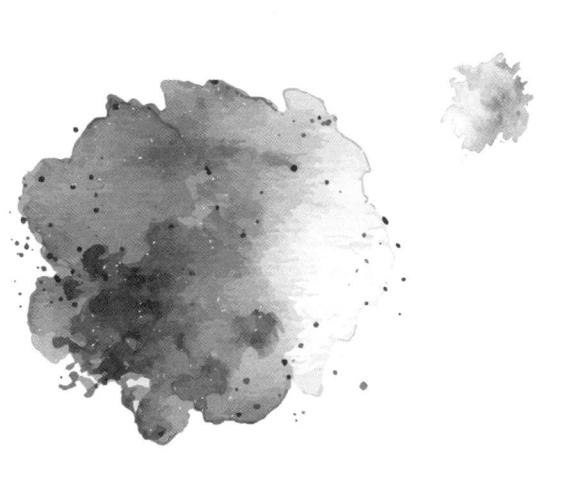

Era um tempo louco aquele em que ela vivia. Daqueles que se vê nos filmes. Um tempo que podia ser no passado, no futuro ou nos dois. Não importa.

Branca encarou a própria imagem no espelho da sua penteadeira. Curiosa como Alice no País das Maravilhas atrás do Coelho Branco, queria descobrir o que estava sentindo – tinha acabado de receber uma carta de amor.

> Só agora escrevo, pois só agora estou certo. Sei que parece tarde. Sei que deixei que você se perdesse, e quanto. Quanto deixei que o que a gente foi se tornasse um monte de nada.
>
> Talvez você tenha contado o tempo. Já eu não pude fazê-lo. O tempo que passou desde que fui embora, para mim não tem passado. Pois o abandono por mim causado quando parti foi, na verdade, somente contra mim mesmo.
>
> Desde aquele dia, espero sentir o que saí em busca. Mas não há nada por aí. Chorei várias vezes – ninguém jamais foi tão desgraçado. Nem você, que parece ter chorado muito nesses últimos anos. Nem você, que esteve

pálida e trêmula nas vezes que a vi cruzar meu caminho, de relance. Nem você, que emagreceu tanto, deixando bambos os seus vestidos.

É claro que amei outras mulheres. Mas é como se tivesse sido sempre nós dois, a cada vez, outra vez. Porque nosso romance era referência para tudo que havia, e não havia mais ninguém que importasse. E a verdade é que nenhuma das mulheres que você me viu beijar ardentemente conseguiu me esquentar o coração.

Se só hoje respondo, depois das suas vinte e três cartas enviadas, não é pela maldade de que você me acusa. É só porque eu sou um homem confuso. E, se nunca disse que voltaria de vez, em resposta aos seus pedidos, não foi por desprezo tampouco. É porque eu sou fraco, você sabe, sou perdido e fraco, enquanto você é bela e forte.

Quero vê-la. Se soubesse que a teria de volta, teria ido eu mesmo ao seu encontro, em vez de escrever esta carta. Mas sei que a magoei e que é preciso que você me procure. É preciso que você me perdoe. É preciso que você me convide e eu voltarei, dessa vez para sempre.

Branca havia colocado a carta sobre a penteadeira e ainda se olhava no espelho. Havia sofrido muito por aquele homem e não conseguia mais ver se isso se via na sua cara. Tinha se acostumado com a cara que tinha, desde que ele tinha ido embora.

Ela já havia relido aquela carta centenas de vezes desde que abrira o lacre – somente alguns segundos depois de, ao reconhecer a letra no envelope, se recompor e conseguir dominar o desejo de gritar o coração garganta afora. E assim, depois de ler a carta pela primeira vez, voltou no tempo e começou a passar a história deles em retrospecto. E, a cada vez que relia a carta, o tempo voltava atrás de novo. Foi assim que conseguiu ler a carta centenas de vezes, quando o carteiro, na verdade, havia chegado não tinha nem bem três minutos.

Começou lembrando de quando se conheceram em um dia de um outubro antigo. E a partir dali ela o amou com seu jeito grave e recebeu em troca uma paixão fora de ritmo. Esparsos dias perfeitos. Dias de riso frouxo e lua cheia e beijo doce e lareira quente e estrada escura e milk-shake com calda. Pequenos momentos divinos. E então bastava um sorriso dele para justificar sua vida inteira.

Lembrou também do que viviam entre cada momento desses. A raiva e a tristeza frustrada com que ele olhava pra ela nos dias comuns. As respostas esquivas ao telefone, as mentiras tantas vezes engolidas a seco. Lembrou quanto sua vida era tentar agradar a ele e nada mais.

Recordou então, finalmente, o dia em que ele foi embora. Aliás, não foi necessário recordar-se. Pois mesmo quando pensava em outra coisa, essa outra coisa tinha sempre aquele dia como papel de parede ocre ao fundo. Um dia comum, em que ele se levantou, indiferente à sua sorte, aos seus sussurros, às suas súplicas e à sua saia encharcada de choro, e saiu porta afora, sem mais.

Guardava também na memória todas as vezes que ele voltou para ela depois desse dia, e todas as vezes que a deixou de novo. Quanto ele dizia que, no fundo, ainda a amava. Mas porque não a amava nem ao menos um pouco, nunca lhe disse que não a amava nada. Nunca a aconselhou a guardá-lo num baú cheio de traças, nem a alertou sobre ela não estar mais em seus planos traçados. E ela de fato concluiu que pelo menos uma coisa que ele dizia na carta era certa: ninguém jamais foi tão desgraçado.

Branca olhou-se fixamente no espelho, e, no fundo daquele mundo invertido, era natural que ela também se lembrasse de tudo que aconteceria ainda. O futuro e o passado se postavam em sua frente e assim era possível escolher o que usar por memória, como se escolhe um tapete numa loja árabe pra se estender em qualquer caminho. Naquele mundo estranho e improvável – o fundo vítreo de prata daquele espelho antigo –, nada era estranho nem improvável.

E, em sua visão do futuro, lembrou, como se fosse hoje, que ela ligou no dia seguinte implorando que ele voltasse. E amanhã, aos prantos, beijaram-se como nunca. E no fim de semana foram os mais felizes das festas. Lembrou por fim que, uma semana depois, aguardava que ele comparecesse a um ansiado encontro marcado. Esperou por horas a fio até decidir ir correndo em busca dele, em desespero. Temia encontrá-lo morto ou, no mínimo, amordaçado. Mas deu de cara com ele, vivo como nunca, com as duas mãos ocupadas apenas em acender um cigarro e caminhando normalmente, deliberadamente ausente. E, ao tentar chamá-lo, ele já não a ouvia, apenas ria como antes, com o olhar ao longe. E, quando ela chorou, ele censurou-lhe o choro e fechou-lhe a porta na cara, deixando que Branca se molhasse inteira do lado de fora, sem caminho, na chuva fina.

E, ao lembrar de tudo isso, viu com inédita clareza que era impossível que ele a amasse. Impossível que ele se importasse, ao menos um pouco. Impossível que ela o perdoasse por isso. Impossível, enfim, que aquele papel de carta, dobrado em sua frente, contivesse ao menos uma palavra sincera. Era só a bobagem de sempre.

Branca olhou-se no espelho e afastou a carta de si. Quem já viu perdoar um homem daquele? E deu de ombros, sem se importar com mais nada daquilo; pois quem, mesmo nesse mundo de cabeça pra baixo, chama aquilo de amor só pode mesmo ter perdido completamente a cabeça.

ONOMATOPEIA

Mirela sempre gostou de bater a porta do quarto. Fez isso incontáveis vezes durante a sua vida. A cada frustração, *pá*. A cada vez que as palavras que ela conhecia não davam conta do seu sentimento, *pá*. A cada vez que precisava gritar, mas não gritava, porque gritar é realmente uma coisa horrível, *pá*.

Mas o fato é que bater porta não é a mesma coisa que esmurrá-la. Bater porta é um ato de ruptura, uma abertura de espaço, é um chega pra lá, um som vindo lá do fim do corredor, lá longe. Um respiro. Mais do que uma violência em si, bater uma porta é, muitas vezes, só uma barreira entre a violência do mundo e uma pessoa querendo paz.

Não era o que acontecia com o Rafael. Ele nunca gostou de bater porta. Nunca gostou de tempo pra refletir. Nunca gostou de resolver conflito com espaço. Num momento confuso, Rafael gostava de falar e falar e falar, blá-blá-blá, até a pessoa que estava tentando conversar ou provar um ponto achar que enlouqueceria de vez.

Mas, fora isso, era um cara normal.

Quando Mirela e Rafael se conheceram, se apaixonaram muito rapidamente. Mais do que paixão, viviam uma mistura de admiração, tesão e ciúme que era tão quente que esfumaçava tudo, numa ebulição louca, que parecia deixar a vida deles encharcada de tanto sentimento. Era a primeira vez que sentiam isso e achavam que seria a última. E na vida deles já não tinha então espaço pra mais nada.

"No que você tá pensando?", ele perguntava a cada minuto de silêncio. E ela tinha que responder rápido, pra ele não achar que a cabeça dela tinha deslizado dali por um segundo. Também não tinha espaço pra nenhum não. Tudo tinha que ser sim. Sempre sim. O mundo tinha que abrir espaço praquele grande amor, como uma ciranda. Era como se tudo circunscrito fora deles fosse só um breu. Era como se, além dali, tudo estivesse congelado, apagado, aquele símbolo de vazio com a bola cortada da teoria de conjuntos. O mundo só podia existir em volta deles, como se eles não estivessem olhando pro mundo. Como aqueles canhões de luz seguindo o casal apaixonado no baile, pra inveja dos figurantes esquecidos ali em volta. E era assim todas as vezes. E quando Mirela tinha que esperar por ele um pouco, com o mundo desligado em volta, enquanto ele não chegava, o coração dela ficava sempre acelerado fazendo *tum-tum-tum* dentro da garganta.

Fora isso, tinham um namoro normal.

Iam à praia todo fim de semana, iam ao cinema quando tinha filme bom passando, jantavam fora, se o dinheiro desse. Logo ele foi morar na casa dela, porque, ao contrário do que dizia o povo, a paixão só fazia aumentar.

Era meio barulhento aquele romance, e, de vez em quando, Mirela começou a se ver querendo um pouco de silêncio, um pouco de espaço pra respirar; um tempo pra ver uma série de que só ela gostava; uns minutinhos pra fazer exercício pra perna e bunda de porta fechada. Mas ela se sentia muito mal de pedir isso. Era como se ela, querendo espaço, reduzisse Rafael a um tamanho menor, roubando dele, propositalmente transformando aquele amor gigante em alguma coisa que podia esperar do lado de fora.

Rafael não gostava de espaço por natureza. Gostava de viver embolado. De se deitarem esmagados no sofá, de falar alto ao telefone ao lado dela, de ver jogo aleatório enquanto ela estudava na sala e gritar "GOL!" em dia de prova. Todo mês resolvia desmontar todos os seus skates de uma só vez no meio da sala, e depois ficava berrando se ela tinha visto a chave de fenda, que estava ali havia um minuto.

Não era como se Mirela gostasse menos dele por causa disso. Era só que, de vez em quando, ela começou a dizer, assim como quem não quer nada, "Vou ali pro quarto ver a novela", mesmo quando não queria ver novela. E ele começou a responder, fingindo que era de brincadeira, "Ah, você não gosta mais de ficar comigo, né? Kkkkkk".

Um ano se passou e as coisas continuavam quentes e confusas, mas tinha um monte de carinho também. Quando o pai dela morreu, ela teria morrido junto, se não fosse o Rafael.

E essa gratidão toda, a sensação de que tinha tido tanta sorte, fazia com que Mirela não desse muita bola pros problemas. A vida não era isso? Muita sorte, pouca sorte, muito pouca sorte, tudo se alternando? E o amor que eles tinham ainda era uma coisa rara, daquelas que se guardava em antiquário, uma coisa que não se vê igual, mesmo que um tanto embolorada.

Mas, com o tempo, começaram a discutir mais. No começo não dava pra distinguir a discussão do calor apaixonado que sempre tiveram. Era tudo meio nervoso, meio misturado mesmo. Até que um dia a discussão virou um monte de grito. Ele gritava sem parar, vermelho, suado, quase transfigurado. Ela se assustou tanto que chorou baixinho até dormir.

Claro que ele pediu desculpas no dia seguinte e até trouxe flores, e a coisa toda pareceu realmente uma besteira. Quem nunca viu uma briga de casal de filme romântico? E o nome não continua sendo filme romântico?

Ela às vezes achava que se morassem num lugar maior, a coisa se dissiparia, mas, naquele ponto, não tinham mais dinheiro pra isso. Tinha isso também: a falta de dinheiro, que deixava todo mundo de cabeça mais quente.

Até que um dia, uma conversa bem normal, que foi virando uma briguinha chata, e aí a coisa foi descambando muito rápido, e, de repente, no meio de uma frase, *pow*, *pow*, *pow*, ele começou a esmurrar a porta. Furioso. Parecia outra pessoa. Parecia enorme, um gigante, o incrível Hulk, o trasgo do banheiro. E parecia quase invisível ao mesmo tempo.

Ela olhou bem pra cara dele e, como se fosse mágica, o mundo se reacendeu todinho à sua volta. E o que Mirela achava que era paixão e gás tinha virado frágil e pó, e ela sabia que era impossível construir um relacionamento em cima de pó, montar uma vida feita de MDP.

Ela lavou o rosto enquanto pensava no que ia botar na bolsa, não precisava de muito por enquanto. E logo saiu, batendo a porta, *pá!*, enquanto ligava pra melhor amiga. Precisava pensar onde ficaria aqueles dias. E depois precisava pensar no resto todo. Mas, tirando isso, agora, segura, sozinha, na imensidão do lado de fora da própria casa, finalmente, estava tudo normal.

AS PESSOAS NA SALA DE JANTAR

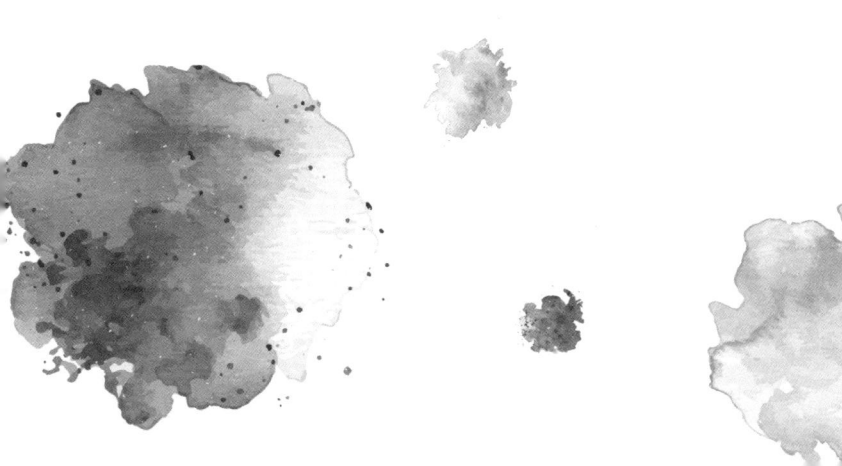

Fico olhando pra minha filha enquanto penteio o cabelo dela e o divido assim, no meio. É uma função difícil, porque ela tem um enorme redemoinho na raiz, então eu nunca consigo fazer aquelas marias-chiquinhas perfeitas, bem divididas no meio, como as mães perfeitas fazem. Todas as mães que não são eu, na porta da creche, são perfeitas. Talvez até eu pareça perfeita na porta da creche, sabendo que vou ter o dia todo quieta pela frente. E depois, no fim de um dia quieta, pegando essa menina de volta, que saudade, só a voz dela às vezes me dá vontade de chorar de tanto amor. Mas a verdade é que eu estava irritada com aquela situação. Queria que ela ficasse com o penteado arrumado, perfeito, como se Deus tivesse soprado na cabeça dela e o cabelo dela tivesse se repartido perfeitamente ao meio, como o mar se abrindo pra Moisés, numa reta mais reta do que a da aula de geometria. Não acho que isso seja pedir muito, porque não é como se eu estivesse pedindo pra Deus fazer isso por tempo suficiente para todo o povo Hebreu passar. Era só soprar o tempo mínimo pros cabelos da minha filha assentarem na cabeça, metade pra cada lado. Acho que eu nunca falei isso alto, mas eu queria ter uma filha que não tivesse um redemoinho desses na cabeça. Será que isso quer dizer que eu não a amo? Eu não tinha que achá-la perfeita em tudo? Porque não é como se eu quisesse outra filha completamente. Eu queria essa mesma filha, igualzinha, quase, só com um cabelo mais flexível.

Eu queria mesmo era ser uma mãe melhor do que sou. Queria ser a melhor mãe do mundo. O tempo todo, infalível. Queria saber como fazer para que ela não se sinta como eu me sentia na idade dela. E, quando me vejo irritada com um cabelo desgrenhado, tenho medo de repetir coisas que eu nem lembro que guardo dentro de uma gaveta embolorada qualquer da minha cabeça.

É que tem um monte de coisa que aconteceu há muito tempo e que eu nunca contei pra ninguém. Acho que eu pensava que ter passado por uma situação ruim e não ter contado pra ninguém, fazia de mim a melhor pessoa da casa. Mas será que a vida era pra isso? Você passa por umas coisas bem ruins e Deus no final diz: "Parabéns, você foi muito gentil em não contar aquela história pra ninguém, pode ir pro Céu". Será que a vida toda embolada valia a pena, só pro caso de ter esse Deus fazendo exatamente essa avaliação lá no final?

Algumas dessas coisas sempre me vêm à cabeça. Algumas coisas na minha família, por exemplo. Que talvez sejam as mais duras, porque são tão injustas, né? Eu era tão pequena. Se aquelas pessoas que servem pra te amar e te proteger não te protegem, como é que você vai sentir que pode se escorar em alguma coisa de novo? Que casa de palha é essa que foi a minha família? Que falta de arrimo.

Nunca vivi nenhuma grande tragédia, não é isso. E, pensando bem, era outro tempo, aquele. A gente precisa estar mais pronto agora, o mundo exige isso da gente. Sinto que os meus pais, as pessoas mais velhas, sei lá, parece que ninguém tinha elaborado nada, eles só iam reagindo à vida. E eu no banco de trás desse jipe, pulando lá pra cima, que nem passeio nas dunas, a cada manobra caindo num buraco com toda a força.

Quando passei a compreendê-los melhor, os meus pais, o que eles viveram, o que eles sofriam, comecei a querer deixar isso tudo pra trás. Afinal é a minha família, né? Só que perdoar é triste, perdoar é meio arrogante, e perdoar, aliás, não existe. Por isso prefiro esquecer, enterrar. Esquecer é mais fácil. Mas como é doida a nossa cabeça, porque basta um filme, uma frase, basta esse desenho que minha filha está aqui fazendo numa folha de papel na minha frente, dois bonecos azuis, quase alienígenas, de mãos dadas, que eu me lembro de tudo de novo.

De todas as noites ruins, a que mais volta é essa.

Eu tinha acabado de descer pra jantar, torcendo pra que a noite fosse normal. Quer dizer, torcendo pra que a noite fosse boazinha, razoável, que passasse batida. Se não fosse um pesadelo, já estava bom, que eu nunca fui muito exigente.

Nunca entendi por que era tão difícil. Qual era o jogo ali? Pra que aquela guerra, se eu já tinha perdido? Já tinha perdido tudo. Eu já me odiava havia muito tempo, ali, aos dezesseis anos. Já os odiava também. Já era um barril de pirata de filme, toda furada de tanto tiro, tanta pólvora, tanto ataque – a diferença era que eu, vazia, nem jorrava mais rum. E olha que rum teria sido bastante útil, não vou mentir.

Eu tinha acabado de descer pra jantar, porque "família tem que jantar junto, Maria Clara". Pra quê? Pra fingir o quê? A gente nem se curte tanto assim. Até minha irmã menor, Anita, que tinha seis anos naquela noite, já chegava tensa na mesa. Eu não sabia que existia isso de ambiente tóxico. Acho que era aí que eu queria chegar. Queria explicar que eu achava que o mundo era pra ser daquele jeito mesmo. O equivalente emocional a uma Chernobyl.

Me lembrei de quando, mais ou menos um ano depois, experimentei os óculos de uma amiga minha míope e descobri que as letras da palavra McDonald's na nossa frente eram bem desenhadinhas, e não um dégradé borrado do amarelo pro vermelho. Minha amiga riu e perguntou:

– Como é que você nunca percebeu que é completamente míope?

Eu dei de ombros.

Que tristeza isso, né? Eu realmente achava que o mundo era embaçado. Que a vida era feita pra gente aturar.

Cheguei na sala de jantar e minha mãe logo me avisou, aproveitando enquanto estávamos só nós duas:

– Não fica com essa cara que o tom do jantar sempre vem do seu humor.

E, pensando bem, talvez ela estivesse certa. Mas eu era tão nova. Por que o tom do jantar era ditado pelo meu humor? Quem autorizou essa loucura? Por que não tinha um adulto pra reger a porcaria do jantar?

Nos sentamos à mesa, nos lugares marcados de sempre. Uma pequena irritação da minha mãe, porque alguém estava demorando demais pra chegar, como se aquilo fosse a Santa Ceia. Eu ali tentando me concentrar na bisnaguinha com requeijão, espalhando o requeijão lentamente, esculpindo, ganhando tempo. Não lembro qual era a conversa. Talvez algum dever das minhas irmãs. Talvez o trabalho do Paulo. Com certeza o trabalho do Paulo. Tudo era sempre sobre o trabalho do Paulo. Mas não demorou muito e logo começaram os comentários sarcásticos daqui e dali, umas alfinetadas, uns jogos de poder, o de sempre.

O que é doido é que quando meus amigos vinham jantar, todos achavam a minha família muito engraçada. "Que legais vocês são", diziam. Não sabiam que aquilo tudo era um monte de lobo em pele de piada. E que toda bobagem saía sabendo o lugar certo de machucar o outro, cada trauma, cada vulnerabilidade, e só quem era o verdadeiro alvo sentia a fisgada lá no fundo. Era como se fosse uma linguagem codificada entre quem queria magoar e quem se magoava, ininteligível para os outros, como aqueles sons agudos que só os cachorros escutam.

E de repente o Paulo começou, assim do nada, a falar da Cecília, minha prima, minha melhor amiga, quase minha irmã. Não lembro nenhuma palavra que ele disse. A gente não via a Cecília havia meses, então eram coisas que não dá nem pra entender de onde vinham. Depois seguiu falando que ela era mal-humorada. Ele achava chata, a Cecília, tão carinhosa com ele. Quer dizer, nem sei se achava. O que ele queria mesmo, conseguiu, porque comecei a sentir uma coisa que me seria familiar pelo resto da minha vida: meu pescoço fervendo, meu ombro fervendo, um pouco de dissociação, as mãos geladas. Meus olhos se enchendo de lágrimas mais rápido do que eu conseguia disfarçar. Um monte de sentimentos ao mesmo tempo. Era tudo o que eu não queria: chorar na mesa, na frente das minhas irmãs, na frente de todo mundo, pela quarta vez naquela semana.

Tudo o que eu era já tinha sido motivo de deboche: se eu me arrumasse pra sair, eu estava linda, só bastava perder três quilinhos. Desisti de ser linda. Se estivesse lendo um livro, que pena que eu era nerd, tão bom gente que vai à praia. Passei a esconder meus livros debaixo do travesseiro. Fui virando nada, pra deixar de incomodar. Nem isso tinha surtido efeito. Tinham que atacar a Cecília, que nem era eu, era só alguém que eu amava? Quantos redemoinhos no cabelo, coisa que eu nunca tive, eu devia ter, de algum jeito, no fundo, pra que aquela irritação toda fizesse sentido, aquela falta de amor.

Eu não queria dar o braço a torcer. Ainda. Tentei prender a respiração, só pra tentar falar sem chorar.

Eu não podia sentir mais nada, não podia deixar escapar da minha mão uma leve sensação de superioridade: sou a única pessoa que se importa nessa casa de loucos. O que não era exatamente verdade, mas, àquela altura, eu não podia permitir que eles tivessem nem um pingo de razão. A mesa era um forte apache e eles eram o inimigo. Se eu tentasse processar qualquer coisa mais complexa, se eu sentisse mais sentimentos além daquela vontade toda de chorar, os americanos destruiriam o restinho do meu forte.

– Não me importa o que você acha – a voz saiu toda trêmula, rasgada: a voz de quem se importa.

– Tá bom, eu não falo mais nada. Se você acha que é normal ser assim... Você já viu como a Cecília é insuportável com a mãe dela? Aquele mau humor?

O Paulo não parava de falar, eu já não ouvia mais, mas também não parava de chorar, minha mãe irritada com a minha fraqueza.

Levantei rapidamente no meio do jantar e tranquei a porta do meu quarto. Me joguei na cama aos soluços. A única coisa que eu me sentia física, emocional e mentalmente capaz de fazer naquele momento era esticar a mão, abrir o pacote de Bono de chocolate que eu tinha guardado na gaveta da mesa de cabeceira e comer até a vontade de chorar passar. Sempre achei difícil chorar e mastigar ao mesmo tempo.

Alguns minutos depois, vi um papel debaixo da minha porta. Uns bonecos de palito, um texto mal redigido com letras tortas.

eu sei que você ficou triste porque você gosta muito da cecilia e eles foram chatos com ela

posso entrar?

Anita tinha seis anos e estava vendo tudo. Que sorte daquela geração, que um dia seria mais generosa do que a minha. Que sorte da minha filha, que vai ser melhor do que eu e minha irmã juntas. Destranquei a porta e coloquei Anita na minha cama pra gente jogar um jogo.

Mesmo sem ter nada pra oferecer praquela menininha assustada com a vida, eu, do alto dos meus dezesseis anos, tinha certeza de que não podia ser muito difícil: era só dar uma gota de amor, um pingo de segurança. Eu sabia, porque era o que me faltava. Cantar uma música, pentear o cabelo dela, dar um abraço, jogar um jogo de cartas. Era fácil, não era? Mesmo quando tudo estava difícil, claro que dava pra engolir o choro e jogar mais uma partida de Uno. Calma, Anita, que eu tô aqui e você tá aqui comigo também. E sempre vai estar, mesmo quando, no futuro, eu estiver penteando outro cabelo e estiver frustrada e perdida, é esse desenho e esse amor e esse socorro que vão permitir que eu não desista ao encontrar um redemoinho.

FEIRA DE ARTES DO FUNDAMENTAL

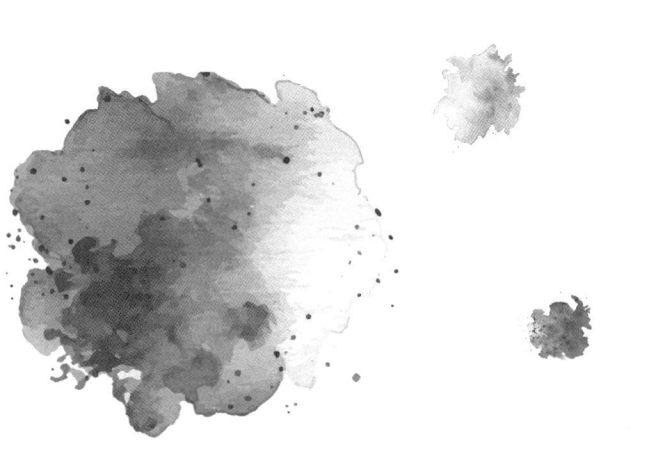

Pátio de uma escola. Valentina, aproximadamente oito anos, Fundamental 1, entra na sua barraquinha que exibe os dizeres: "Ajuda psiquiátrica, 5 centavos". Ela gira uma plaquinha de "A doutora SAIU" para "A doutora ESTÁ".

* **HAMLET** (*Hamlet*) *

HAMLET – Estou muito mal. Eu, um parvo feito só de lama, um néscio, como um joão-sonhador, sem nenhum plano de vingança, me calo. Quando um rei perdeu a vida preciosa e o trono de maneira tão bárbara e maldita. Serei covarde? Quem me lança a alcunha de vilão? Minha cabeça abre em duas? Me arranca a barba e me atira no rosto? Me puxa pelo nariz? De mentiroso me acoima até os pulmões? Quem me faz isso? Ah! Fora bem-feito. E a causa não é outra: tenho sangue de pombo, o fel me falta que a opressão torna amarga, ou já teria dado as minhas entranhas a todos os abutres do céu. Oh vingança! Oh! Que grande asno eu sou!

VALENTINA – Ora, Hamlet, conheço tipos exatamente como você. Isso é ridículo! Você devia ter vergonha! Você tem a vida inteira pela frente! Vive num mundo cheio de coisas lindas! Cheio de oportunidades... de grandes façanhas a realizar!

HAMLET – Ah sim, vede minha mãe, como apresenta semblante de prazer; no entanto, meu pai morreu apenas há duas horas.

VALENTINA – Na verdade, já são quatro meses. Você não me parece muito bom em aritmética, talvez precise ver a professora quando sair daqui. Mas entendo. É realmente o dever das novas gerações colocar a culpa dos seus problemas na geração anterior. Pode não resolver muita coisa, mas faz com que todo mundo se sinta melhor.

HAMLET – Vou desmascará-los. Essa vai ser minha vingança. Vou contratar atores para encenar uma peça que mostre a sórdida trama do rei e da rainha contra meu pai, e quero ver como se comportarão ao assisti-la. Pedi ajuda a meus amigos e eles já encontraram uma companhia de atores.

VALENTINA – Bom, como dizem na televisão, só o fato de você admitir que precisa de ajuda já é um passo. Mas será que essa coisa toda de encenação de peça não é um pouco idiota? Você está aqui com uma grande autoridade em psicanálise: eu! E nós podemos analisar os seus medos e chegar a um diagnóstico aqui mesmo.

HAMLET – Mas já sei. Acho que sofro de panfobia, pois minha vida é um acúmulo de medos e ansiedades. Ser ou não ser... Eis a questão. O que é mais nobre para a alma: suportar os dardos e arremessos do fado sempre adverso, ou armar-se contra um mar de desventuras e dar-lhes fim tentando resistir-lhes? Como viver depois de tamanha traição? Fragilidade, teu nome é mulher.

VALENTINA – Tem uma coisa que talvez você não saiba sobre mim, que é: eu sempre estou certa. E não acho que panfobia seja o diagnóstico correto pra você, meu caro Hamlet. Panfobia é medo de tudo. Mas, pensando bem, o Tudo é que devia ter medo de você! Você é um cara bastante destrutivo. Agora, em termos de rótulos, vendo como você trata a sua mãe e Ofélia, principalmente, não tenho dúvida de que o seu caso é mais de misoginia mesmo.

Hamlet sai de cena.

HAMLET – Não sei por que, mas estou pior do que quando cheguei.

* OTELO E DESDÊMONA (*Otelo*) *

VALENTINA – Bom, não costumo atender casais, mas acho que posso abrir uma exceção, pois trata-se de um motivo nobre: estou precisando de dinheiro. Então passem pra cá cinco centavos cada um. Isso. Agora, sentem aí e não tenham medo de abrir o coração.

DESDÊMONA – Oh, Valentina, preciso da sua ajuda. Pedi ao meu marido que perdoasse o tenente Cássio, e agora ele me acusa, dizendo que minha intenção de proteger Cássio é por ele ser, na verdade, meu amante.

VALENTINA *(para Otelo)* – Ora, me poupe! Não me venha com esses moralismos de classe média!

DESDÊMONA – Assim são os homens. Como bem disse Emília: "Não passam de estômagos. E, para eles, não passamos de comida. Nos comem vorazmente e quando estão satisfeitos nos arrotam".

OTELO *(para Valentina)* – Tolices! Espero que o fato de ser do sexo feminino não faça com que você tome partido nessa situação.

VALENTINA – Ora, de jeito nenhum. Eu trato meus pacientes de maneira totalmente objetiva. Quando estou atendendo deixo todos os meus preconceitos e julgamentos de lado. Isso faz toda a diferença num tratamento especializado.

OTELO – Oh! É asqueroso! O lenço... a confissão... o lenço! Confessar, e, então: forca! Primeiro, a forca; depois a confissão. Estou tremendo. A natureza não se deixaria abafar por sentimentos tão escuros, se não se tratasse de alguma advertência. Não me deixo abalar assim por meias palavras. Ora! Narizes, orelhas, lábios... Será possível? Confessai!... O lenço... Oh, diabo!

DESDÊMONA – Eu já disse que não sei o que aconteceu com esse lenço!

Desdêmona cai no choro.

OTELO – Oh, demônio! Demônio! Se, com lágrimas de mulher fosse a terra fecundada, cada gota geraria um crocodilo. Fora da minha vista! Olha a sua mão, úmida e quente! Esses sinais indicam que é preciso cercear a liberdade e, assim, vos impor jejuns e rezas, pios exercícios e mortificações, pois um demônio suarento aqui demora, que costuma rebelar-se. Por que agrada aos céus testar a mim com tal desgosto? Como diz o bom Iago: "Fora de casa sois pinturas;

nos quartos, sinos; na cozinha, gatos; santas, quando ofendeis; demônios puros, quando sois ofendidas; chocarreiras no governo da casa e boas donas do lar quando na cama".

(Pausa.)

OTELO *(para Valentina)* – Bom, te peço que me fales o que pensas, como as ideias fores ruminando, e as ideias mais terríveis digas com palavras mais terríveis também.

VALENTINA *(para Desdêmona)* – VOCÊ OUVIU ESSE BANANA???

Com o som do berro de Valentina, Otelo e Desdêmona são arremessados para cima em uma cambalhota.

* TITÂNIA (*Sonho de uma noite de verão*) *

TITÂNIA – Tive um sonho estranhíssimo ontem. Sonhei que tinha me apaixonado por uma figura horrenda, metade homem, metade asno. E, no mundo do sonho, de tal modo a tua formosura me enlevou e me comoveu, que logo proclamei que o amava e assim comecei a servi-lo como uma escrava! Por sorte logo acordei, junto a Oberon, e fizemos as pazes.

VALENTINA – E você acha que isso foi realmente um sonho? Não sabe que isso foi tudo obra desse lunático ciumento do Oberon? Qualquer pessoa sabe que ele te enfeitiçou e depois ainda achou graça de te ver numa situação dessas. Esse é o tipo de homem que você quer? Vê se para de enganar a si mesma, colega. Cinco centavos, por favor.

* CATARINA (*A megera domada*) *

CATARINA – Aprendi muita coisa nos últimos tempos. Já fui bem diferente do que sou hoje. Mas agora acho que a mulher irritada é como fonte turbulenta, repulsiva, privada da beleza; e assim não há ninguém, por mais que tenha sede, que se atreva a encostar os lábios nela. Teu marido é teu senhor, teu guardião, tua vida, teu chefe e soberano. É ele que cuida de ti; para manter-te, arrisca a vida, com trabalho penoso em mar e em terra; nas noites de temporal, acordado; de dia, suportando o frio, enquanto dormes em casa no teu leito quente, tranquila e bem segura. Não te pede outro tributo além de teu afeto, sincera obediência e rosto alegre, paga mesquinha de tão grande dívida. A submissão que o servo deve ao príncipe é a que a mulher deve ao seu marido. E se ela se mostrar teimosa, indócil, intratável, azeda, e se rebelar contra as suas razoáveis exigências, que mais será senão execrável traidora do seu próprio senhor? Tenho vergonha de ver que são tão simples as mulheres, para fazerem guerra onde deveriam de joelhos pedir paz. Ou pretendem dominar, dirigir, mandar em tudo quando só devem tão somente, obedecer e amar? Nossa força é fraqueza; somos como uma criança que, se muito ambiciosa, logo cansa.

VALENTINA – Essa sua fala é realmente fascinante. Que maravilha!

CATARINA – Ora, muito me alegro! Como dizia, eu mesma só passei a pensar assim recentemente.

VALENTINA – Sim, uma fala definitiva, que me fez compreender melhor uma coisa que estava demorando a fazer sentido. Depois de ver uma mulher forte e interessante se casar com um homem que queria seu dinheiro, e ver essa mulher passar fome nas mãos dele e ser manipulada enquanto ele a chamava de megera e de égua, uma coisa não saía da minha cabeça. Um impasse mesmo. Mas agora, com isso que você disse... Como foi mesmo? "A submissão que o servo deve ao príncipe é a que a mulher deve ao seu marido" e mais esse monte de baboseiras, entendi por que essa história toda é considerada uma comédia. Hilário, Catarina, parabéns pela mais fina ironia! Claro, finalmente, muito engraçada essa parte.

CATARINA – Não era exatamente...

VALENTINA – Agora, sim, você me fez rir, hahahahahaha. "A mulher de joelhos pedir paz"? Essa foi muito engraçada mesmo.

* JULIETA (*Romeu e Julieta*) *

JULIETA – Nada me importa, apenas Romeu. Queria não ter lhe ofertado ainda meu amor, só para poder fazê-lo outra vez. E, afinal, não foram mesmo os meus pais que me disseram que está na hora de casar-me?

VALENTINA – Ora, não é porque seus pais são uns descerebrados que querem te obrigar a casar com aquele conde ridículo que qualquer um que apareça seja um grande pretendente. Você conheceu esse Romeu um dia desses, e ainda semana passada ele estava choramingando por aí por causa de uma tal de

Rosalina. Isso sem mencionar que ele é um inimigo da sua família.

JULIETA – Não! Meu inimigo é apenas o seu nome. Que é Montecchio? Não será mão, nem pé, nem braço ou rosto, nem parte alguma que pertença ao corpo. Que há num simples nome? O que chamamos rosa, sob uma outra designação teria igual perfume. Assim Romeu, se não tivesse o nome de Romeu, conservaria a tão preciosa perfeição que dele é sem esse título.

VALENTINA – Hum... Acho que você tem uma perspectiva bastante limitada das coisas. Você acha que isso é amor? Vocês não se comunicam muito bem, não têm nenhum amigo em comum e nenhum respeito pelos amigos e pela família um do outro. QUE TIPO DE PESSOA ACHA QUE ISSO PARECE AMOR? Você deveria saber esse tipo de coisa, Julieta. Leigos bem informados são os alicerces de uma sociedade saudável.

JULIETA – Mas a nossa história é a história de amor mais bonita que já existiu em todo o mundo. Todas as línguas que só sabem dizer Romeu, Romeu, falam com eloquência celestial.

VALENTINA – Ah! Quer saber? Mas que conversa é essa? Chega! Você ainda é uma criança, garota, vai empinar uma pipa!

SÓ ABRA EM 2032

dobrei aqui esta página
bem dobrada com cuidado
pra ela durar o tempo que falta
pra eu sair desse pântano
em que empaquei agora

eu sei que foi chute
esse número: dez anos
parece muito
parece tanto
parece que o pântano aumentou
só de eu pensar nesse tempo

mas sendo realista
não parece daqui do meu ângulo
que vai ser muito rápido
me recompor por completo

talvez hoje
depois de tudo
se tudo der certo
você vai ler a carta de uma mulher
e não só de uma
vítima

nesse hoje teu
aí da frente, claro
não nesse meu hoje aqui
que já vai ser arqueológico
a essa altura

no meu hoje
coisa nenhuma deu certo
foi um dia só de dúvida
ressaca, azar
e pânico

desde que acordei sozinha
com o som da chuva
bem forte no ar-condicionado
depois de ontem ter embrulhado
o resto das tuas coisas
encarando meu medo
e um monte de ácaro

o mais difícil foi levantar
e ir ao banheiro
pareceu ir à Bulgária
mas segui
tentando fingir que fazia sentido seguir

no escritório andei pra lá e pra cá
e ouvi reclamação
de um monte de gente
que parecia não ter sido avisada
de que o mundo tinha acabado

ligaram da imobiliária
um cara com nome estranho
começava com ípsilon, acho
pra dizer que não pagamos setembro
e segurei o impulso de te ligar
pra falar de uma casa
que não é mais a tua
mesmo que só desde ontem

ainda por cima
voltando pra casa, distraída
fechei a mão na porta do carro
tive que botar gelo
e passar no médico

agora pedi um gnocchi no Spoleto
e aqui sofrendo com a azia
e com essa luz esverdeada
que não me favorece muito
consegui pensar que
mesmo você sendo míope
foi bom você não ter vindo

foi bom você ir embora
foi melhor assim
não foi?

pelo menos você me vê de outro jeito
com calma, coragem e contraluz
mesmo que demore dez anos

é que aqui nesse hoje
só consigo pensar em álibi
e em senha de telefone
e só quero saber o porquê de cada coisa
como se existisse um porquê
pra cada coisa

me sinto péssima
me sinto tonta
me sinto a pior versão de mim mesma

você, eu nem reconheço
falando umas palavras novas
e escrevendo em francês
sem saber a concordância
sem saber gramática
sem saber absolutamente nada
de francês

tão distante
me olhando de cima
como se fosse eu
que não soubesse nem francês nem nada
nem gíria

que lástima
tanto amor
esgarçado desse jeito

ainda assim
mesmo vivendo a dureza de cada dia
o silêncio
as palavras se esvaindo
o francês mal falado
que ouvi atrás da porta
patética

sua decisão súbita
de ir embora
ainda me espanta
você nunca foi disso
de abandonar o barco

você sempre foi o melhor de nós dois
o mais generoso
o mais sábio
– que ficasse nem que só por inércia

agora eu um pouco mais burra
um pouco mais lenta
tentando reformular uma teoria inteira
uma ética
que mantenha tudo como era
você melhor do que eu
e aqui
na minha cama

e se te odeio
ou sinto sua falta
olho no espelho
e observo
que me transformo de um estereótipo
em outro

foi melhor você ter ido
pra não ver esse espetáculo

essa minha magreza
um quadril que não segura vestido
o rosto pálido
e a cabeça mais chacoalhada que champanhe

não vai ser hoje
que eu vou ser outra
mas vai ser com toda certeza
em menos de dez anos

sei também
que essa tua estupidez é transitória

por isso fui à caça
de um guardanapo rugoso
que dê pra escrever com esferográfica
porque só tinha aqueles de papel-manteiga
na minha mesa

e imagino agora um futuro
de distopia americana
com carro voador e tudo
desses protótipos que a gente vê
em vídeo na internet

e, se tudo der certo
e você abrir esta epístola
bem aí no meio de 2032

talvez aí, nesse teu hoje
entre máquinas prateadas
e neons no horizonte
ao ler minhas palavras
e lembrar de quem eu fui
e de quem você também foi
lá no começo
você possa imaginar
a gente finalmente
pronto
pra um diálogo.

SEGUNDA CHANCE

Os cientistas estão trabalhando arduamente em uma nova forma de viagem no tempo para garantir a cada cidadão do mundo a oportunidade mínima de uma segunda chance. Chegaram a estudar a possibilidade de duas segundas chances por pessoa, mas os buracos de minhoca começaram a se esbarrar, criando um efeito bastante indesejado, denominado caos. Afinal, muitas vezes, ao utilizar uma segunda chance, o sujeito acabava sendo catapultado para o seu estágio inicial, antes de usufruir da sua primeira segunda chance, visto que, na exponenciação ou potenciação matemática, menos com menos dá mais.

Para usufruir com facilidade do serviço, várias startups estão desenvolvendo uma interação completamente digital, em que cada pessoa poderá ter acesso a um aplicativo no seu celular e agendar sua segunda chance, tanto em termos de partida quanto de chegada, quero dizer de partida do presente e de chegada naquele momento crucial de seu passado, aquele mesmo que a pessoa gostaria de poder recriar. O aplicativo também permitiria, por um preço adicional, o agendamento de um esquema de fura-filas, assim como contaria com um extenso banco de FAQ, e um chat on-line em diversas línguas.

Vários estudos de caso foram realizados para entender quem seriam os primeiros a obter o benefício da segunda chance, assim que o projeto saísse da fase de testes. E, em um primeiro momento, o escalonamento por idade, a começar pelos mais velhos, parecia a saída mais justa. Infelizmente, durante a experiência, os de mais idade apresentaram bastantes dificuldades pra escolher qual segunda chance pedir. Essa demora no tempo de consulta do aplicativo, assim como o constante cancelamento e reinício da página final de escolha, acarretou sobrecarga do sistema e lentidão e indisponibilidade de todo o esquema a médio prazo.

A proposta seguinte foi que a prioridade, assim como a de entrar no elevador, fosse das mulheres. As mulheres foram identificadas como especialistas em selecionar rapidamente o momento-chave que gostariam de reviver ou apagar e, durante os testes, se mostraram assertivas e práticas no uso da tecnologia. Além disso, suas segundas chances invariavelmente envolviam uma urgente tentativa de se protegerem de danos físicos, morais ou mentais, o que eticamente acabava também pesando a favor dessa determinação.

Em um teste mais especializado, os cientistas selecionaram um homem e uma mulher que haviam vivido um mesmo momento, identificado por ambos como um *low point*, ou fundo do poço, e disponibilizaram a volta a um momento anterior compreendido como catalisador, ou causa, desse evento. No entanto, noventa e dois por cento dos homens não desejaram usar sua segunda chance para consertar aquela que diziam ser uma experiência muito ruim ou péssima, pois acreditavam que o problema era sempre culpa do mundo, e não deles mesmos, logo não entendiam o que poderiam fazer para consertar as coisas caso voltassem ao ponto em questão. Por outro lado, cem por cento das mulheres afirmaram que gostariam de utilizar sua segunda chance, mesmo em casos em que o fator de estresse era externo, pois sabiam que teriam a possibilidade de se afastar ou de se preservar do fator de estresse em questão, e assim, mesmo sem consertar coisa nenhuma, consertar, na verdade, tudo.

Os cientistas reuniram então toda a documentação sobre os experimentos e as determinações de uso do projeto e enviaram para órgãos governamentais de diversos países pedindo autorização para implementar o sistema o quanto antes, assim como um pequeno aporte financeiro. Fundamentaram em estudos teóricos e nos casos práticos exemplificados acima, a necessidade de começar a disponibilização do recurso, urgente e prioritariamente, para todas e quaisquer mulheres. A resposta veio rápida e unânime: não estavam interessados. E, como os cientistas conseguem dividir um átomo em coisinhas bem pequenas, estão acostumados a ver bem dentro das coisas, leram rapidamente as letras miúdas: "Se estivéssemos interessados em investir dinheiro em dar novas oportunidades às mulheres, teríamos feito isso desde sempre, não precisamos de uma segunda chance". Os cientistas continuam trabalhando e não desanimaram por completo, pois a premiê da Nova Zelândia, ainda ontem, pediu uma reunião.

RÃ

O problema é essa vida, que nos dilacera. É tanto trabalho, tanto susto, tanta aspereza a cada dia, que fica difícil reconhecer a doçura. Era como mesmo? Era bom. Foi bom um dia, não foi? Vivo com saudade daquele dia bom. E se ele voltasse como um bumerangue, o dia bom, e caísse bem aqui na minha frente? Porque já estou cansada de dia ruim arremessado velozmente como bumerangue e batendo em cheio na minha cara, meu olho sempre roxo.

Será que sou eu que tenho que me levantar, assim mancando, pra ir buscar o dia bom que ficou pra trás, lá longe? Parece injusto. Acho que a gente tinha que pelo menos ir juntos nessa procura. Talvez ainda exista, em um lugar paralelo, um dia bom seminovo pra gente usar outras vezes. Se bem que justiça nem existe. Será que eu tenho que criar um dia bom novo, assim do zero, sozinha mesmo? Acordar amanhã e dizer: "Chegou o dia!", e pronto, o dia vai ser bom. Sem muita conversa, num movimento rápido, como um caubói tirando revólver do coldre. Mas se bem que com essa dor que eu sinto não é fácil.

Talvez eu pudesse começar do começo a fazer esse dia ser bom: amanhecendo, eu abria os olhos e olhava pra ele e dava um sorriso. Depois um café bom, waffle com geleia. E depois? Não me lembro. Como era, quando era bom? Tinha que ter passeio no parque, dia ensolarado, música, beijo na boca, gim, coisa boa pra dividir. Mas então, quando dou um sorriso, o sorriso do começo, pra mudar tudo pro jeito que era antes, ele nem se vira, nem percebe que eu estou mudando tudo, e eu dou o sorriso olhando pras costas dele, muito sem graça de dizer "Vira pra cá que eu dei um sorriso", e aí ele se levanta e sai andando, com o café requentado de ontem, uma rasteira nesses meus planos.

E depois começa um dia mais ou menos, como vem sendo os dias recentes. Talvez ainda dê pra salvar o dia, se eu correr pra fazer o dia ficar bom. Será que tem jogo de futebol na televisão? Se tiver jogo de futebol na televisão e o Flamengo for bem, dá pra abrir uma cerveja, comer um salame, puxar um assunto divertido no intervalo, talvez até um abraço meio desajeitado depois de um gol. Se tiver jogo de futebol na televisão e, por exemplo, o jogo for às quatro da tarde, e se, a partir da hora que o jogo começar, tudo der certo, a gente pode conseguir um terço de dia bom. Das quatro horas à meia-noite. Um terço de dia bom, com dois terços de dia mais ou menos, conta como dia bom? Serve pra alguma coisa? Vale investir duas cervejas ou quatro e abrir o salame italiano embalado a vácuo?

O que é que custa? É que é tanta coisa que machuca, tanta mágoa, que é difícil saber se um dia bom resolve.

Ou mesmo uma semana boa. Se diante desse cânion, desse buraco em que eu estou, desse desfiladeiro, viesse uma reta bem desenhadinha, inclinada diagonalmente pra cima, infinitamente pra cima, cada vez melhor, de dias bons colados um no outro, só por causa dessa reta, ia ter uma borracha pra apagar a tristeza todinha de trás?

Porque não tem reta nem polígono nenhum que apague o dia em que ele me disse que me odeia, que quer morrer e que só é feliz longe de mim. Nem as outras versões disso, que ele disse em outros dias. Não que ele me odeie, nem que eu pense que ele me odeia, claro, nem que ele queira morrer, nem que eu ache que ele quer morrer, nem que ele só seja feliz longe de mim, até porque nem sei se ele ainda é feliz em algum lugar hoje em dia. Talvez seja. Mas cada coisa dessa, ele disse com a finalidade única de me machucar. É isso que importa nesses momentos. Não importa muito o conteúdo, importa apenas a raiva que ele estava sentindo na hora em que disse o que disse. Cada palavra servia como murro, não como palavra. Devia ter análise morfológica na aula de português que explicasse isso. Existe palavra que é verbo, existe palavra que é substantivo, pronome, adjetivo, numeral, e existe palavra que é murro.

No dia seguinte de cada palavra dessa, vêm outras palavras, que, como orações coordenadas, se somam com força aparentemente igual. Não se anulam, mas andam de mãos dadas. Ficam ali existindo como se fosse possível seguir, e aí fica possível seguir. Comentários sobre uma notícia do jornal, um meme, uma novidade do trabalho, às vezes algo parecido com a palavra "desculpa".

E é por isso que eu sei que ele não me odeia, porque o dia segue e tudo volta ao normal. Mas como é que a gente sabe de verdade o que é que ainda é normal diante de tudo? O problema, na verdade, é o tempo, que insiste em seguir um dia atrás do outro, sucessivamente. Porque, como cada coisa é causada pela coisa de antes, depois de um tempo, toda relação amorosa é um amontoado de causa e consequência e culpa. A culpa foi sua de isso ter acontecido, mas eu só fiz isso porque você fez aquilo, mas eu só fiz aquilo porque você discordou de mim, porque você não deixou, porque você não colocou o lixo pra fora, porque você comeu todo o sorvete, porque você é assim, porque eu me senti abandonada, pressionado, magoado, meio bêbada, solto, com ciúmes, perseguido, cansada, sem saída.

E também o problema é esse deserto em volta, esse país, essa pobreza, que esbofeteia a gente todo dia. A gente olha em volta e pensa: aqui tá melhor ou pior do que ali? Ficamos conservadores, amedrontados, com medo de querer mais e aí perder mais e doer mais. Então, de repente, o ruim fica parecendo melhor que o mais ou menos, e até melhor que o bom.

Ao contrário do que imaginam as pessoas, se não fosse cada punhalada, talvez eu já estivesse bem longe. Quanto pior fica, pior pode ficar em outro lugar. Perspectiva, que chama. Por outro lado, olho em volta. A grama do vizinho não é só mais verde, porque qualquer coisa é mais verde do que esse mato.

A grama do vizinho é verde e é desenrolada lindamente que nem em jogo de futebol na televisão.

Fico. Tá tudo bem, não está? O amor é um troço complexo. Mas está tudo indo, não está? Talvez não esteja, fica mais claro quando coloco assim por escrito, as palavras esbofeteando a minha cara. Fico?

E olho em volta, tudo borbulhando desse jeito, será que já é tarde? Vivo com saudade daquele dia bom.

O amor é água fervente e a gente é rã.

PASTANDO

Essa mulher ainda fica esperando por esse cara. Depois de tudo que eles passaram. Está brava, está triste, guarda um pântano inteirinho na garganta, mas espera. Finge que não. Diz que está forte e firme. Que está pronta pra outra. Que está reluzindo e disposta a novas aventuras. Me trouxe até aqui hoje como se a gente fosse passar um dia divertido e sem preocupações, como se eu não a visse com a cabeça lá no horizonte. Me trouxe até aqui e prometeu que ia ficar comigo o dia inteiro. Eu, que já nem estava esperando muito sair hoje. Ela disse sorridente: "Vamos dar uma volta, que o dia está é lindo". Agora olha pra ela, olha só pra ela, e me diz se eu não tenho razão, pediu o cavalo branco.

Ele tinha razão.

Disse ainda: Eu não. Eu não prometo mais nada. Corro quando quero correr, pasto quando posso pastar. Não prometo fazer coisa que não quero fazer. Não guardo ressentimento nem me faço de vítima. Mas também não ligo que me conduzam, sou um cavalo. E não tenho vergonha de dizer que sou o cavalo dela e que me sinto mais completo quando sou útil por ser cavalo. Ou quando sou útil e pronto. Quando ela sobe em mim e esquece o horizonte. Esquece as cercas, as costas, as coisas que esse cara promete.

Existe uma beleza em servir pra deixar o outro feliz que tem muita gente que nunca vai ser capaz de entender. Se galopar um pouco vai mudar o dia dela, não tem nem conversa, eu galopo. E ela faz isso por mim também. Me traz aqui porque é bom pra mim, ela sabe, passear no sol. Escolhe minha comida com carinho. Só isso. Não é muito difícil, na verdade. As pessoas, assim como os cavalos, têm poucas necessidades básicas.

Por isso fico irritado com ele. Porque ele não ajuda em nada, não oferece nada. Nunca ofereceu. E some assim sem pena, sem mandar recado, sem dar um adeus, sem mandar DM. Some e ela que se vire.

Se ela percebesse. Ela é tão forte sem ele. Sabe francês, alemão, dar amor, cuidar do jardim, fazer armadilha pra ratos. Sabe tudo sobre hádrons, interação forte e confinamento. Ele não sabe de nada. É um nada. Um cara que não veio. Que não vem faz é tempo. E ela segue niilista, até parece, buscando e querendo esse nada desse cara. Se veste de preto como se estivesse de luto pela falta de quê? De um nada. Mas cada pedrinha da sua blusa preta brilha, e ela brilha de várias cores também, ainda. Só não se vê, porque ela anda assim tão apagada.

Mas se tem uma coisa que a gente que é cavalo compreende é que tem época que a gente empaca. Come lama. Refuga. Fica pra trás. Não consegue se mexer de forma alguma. "Olha, é só um obstáculo", diz o pessoal todo, "é só você dar um salto, você sabe saltar tão bem!", mas a gente olha e só enxerga um abismo gigante, insaltável, um buraco sem fundo que nem cânion de filme de caubói.

Só que depois a gente sempre retoma. Depois a gente corre de novo e salta e ri e nem lembra que empacou, porque a gente só olha pra frente, com ou sem antolho. Basta alguém pentear nossa crina ou a grama estar com cheiro de molhado. Às vezes também não precisa de nada. Às vezes estou empacado e de repente não estou mais, desempaquei porque o mundo girou. Acho que vai ser assim pra Maria. O mundo vai girar mais um pouquinho e ela vai começar a brilhar, que nem as pedrinhas da sua blusa.

E aí, se esse cara for louco de voltar aqui, como ele faz de vez em quando só pra chatear; se ele voltar aqui depois que Maria estiver querendo galopar a cidade todinha; se ele achar que vai voltar e vai dizer: "Oi Maria, voltei", assim e pronto; alguma coisa muito estranha vai acontecer no mundo, porque eu, que sou cavalo, vou ter que me meter e dizer: "Dá licença, por favor, que essa mulher não é pra você".

TRENDING
PARTE 2

Rosa ainda estava em busca de um caminho novo, de encontrar alguma resposta pra qualquer uma das centenas de mensagens que recebera, quando chegou ao trabalho e a moça da sala ao lado da sua olhou pra ela de um jeito cúmplice e sorriu. Logo aquela moça, que nunca tinha sido simpática antes. Se sentiu meio nua, exposta, aberta, tudo ao mesmo tempo. Teve vontade de dizer: desculpa aí, eu não tava querendo forçar uma intimidade, não.

– Lindo post – disse a moça.

Estava ficando meio maluca com essas coisas, a Rosa. Afinal ela ainda era de uma geração que escrevia pra amigo em papel de carta, esperava meses pra receber resposta, mandava cartão-postal de viagem e revelava filme de doze poses. Foi mudando tudo tão rápido que agora a moça do trabalho ficava amiga automaticamente, comparsa, sister, tudo por causa de um post de internet escrito com sinceridade e com um sentimento em comum. E aí não precisava esperar resposta, era assim e pronto. Não precisava de adesivo, nem de selo. Sister.

Cada vez que Rosa entrava no Instagram, ficava impactada com mais uma enxurrada de mensagens de um monte de gente, seguidores novos, muitos likes, cada vez mais likes, uma coisa meio de celebridade, completamente estranha pra ela. Tinha medo de parecer que estava gostando disso. Não queria a fama pela fama, mas depois de ter vivido aquela situação horrível com o Guilherme, será que era feio admitir que aquela gente toda dava uma sensação de amparo que era boa?

Naquela noite, quando Rosa e Fernanda saíram pra comer uma pizza, parecia que as pessoas estavam o tempo todo olhando pra ela. Tinha ficado completamente louca? Não tinha. Logo depois, quando mordeu o primeiro pedaço de pepperoni, um grupo de meninas se aproximou da mesa delas.

– Rosa? – disse uma. – Eu queria te dizer que o teu post me fez repensar tanta coisa. Ainda estou meio sob o impacto de ter lido aquilo. Muito obrigada.

– Superpoderosa! Musa! – entoaram as outras.

– A gente queria uma foto com essa deusa.

E Rosa se levantou como um zumbi e posou pra foto com a melhor tentativa de sorriso possível. Deusa, meu Deus? Rosa ficou ali parada, pensando como iria explicar praquela gente toda que ela só tinha escrito uma coisa pessoal, um desabafo. Como ela diria que não estava tentando reinventar como funciona o mundo, que não tinha condição de ser Deusa, ainda mais de um mundo tão mal-ajambrado? Abriu a boca, mas aí veio um bip e uma nova mensagem de WhatsApp.

Rosa já não sabia mais o que pensar. Podia ser o Guilherme. Podia ser trabalho. Podia ser mais uma empresa de telefonia querendo vender pacote. Não era. Era um número desconhecido mandando mensagem de áudio. Tinha tanto medo de mensagem de áudio que achou melhor ouvir de uma vez. Pediu licença e clicou no play.

— Rosa, aqui é a Marina Soares, a gente não se conhece, mas eu vi o teu post, a gente ficou superemocionado por aqui no canal e queria te convidar pra uma live esta semana, pra discutir um pouco essas questões do machismo que ainda foram tão pouco investigadas, né? Pra gente poder ajudar outras pessoas.

E aí Rosa entrou num pânico total. Agora ela tinha que ajudar outras pessoas? Como é que se ajuda outras pessoas? Talvez só dizer "Não sejam burras como eu fui com o Guilherme" não fosse o suficiente. Mas ela também não podia dizer "Não, não quero ajudar outras pessoas não, se virem aí".

Digitou:

Claro, Marina. Quando funcionar pra você.

Segundos depois:

Que tal quinta?

Claro. Quinta tá ótimo.

O que mais ela iria dizer?

Você tem um roteirozinho com perguntas?

Pensei num papo mais solto mesmo. A tua perspectiva sobre as complexidades dessa nova onda de feminismo.

Claro. Um papo solto, que delícia.

O nome que eu pensei foi: "Dez passos pra se livrar de um embuste".

Ah, sim.

E agora não conseguia mais digerir nenhuma pizza, muito menos aquele pepperoni, porque tinha que economizar todos os seus esforços pra pensar o que raios ela diria que são os "dez passos para se livrar de um embuste".

Aí começou a refletir mais além. Qual seria a sua perspectiva sobre as complexidades dessa nova onda de feminismo. A palavra-chave da frase sendo complexidade. Não podia dizer nada óbvio. Não ia falar sobre igualdade de salário e oportunidades e coisas assim, que isso todo mundo já sabia. Se bem que seria melhor falar sobre igualdade de salário e de oportunidades, porque todo mundo já sabia, inclusive ela. Podia falar que a nova onda de feminismo não era complexa, era bem simples. Enquanto precisasse, ia ter onda de feminismo no mundo, umas mais calmas, outras daquelas de campeonato de surfe, de acordo com o momento. Mas a moça tava emocionada com o post. E agora Rosa teria que falar do post.

Mas iria falar o quê? Que os relacionamentos heterossexuais são baseados em séculos de machismo estrutural? Que os homens acham que o trabalho da mulher não conta? Que o Guilherme achava que o trabalho dela não contava? Não. Ela não falaria no Guilherme. Tinha alguma coisa que ela poderia falar que ainda não tinha sido dita? Como ela ia saber? Aprendeu feminismo com o #MeToo, lendo post das amigas, lendo influencer na internet. E aprendeu feminismo sofrendo, imagina só!, com um monte de machismo. Como ela ia dizer que nunca leu Rebecca Solnit, nunca leu Sarah Helm? O que será que tinha nesses livros? E, mais importante: o que será que não tinha, pra ela acrescentar agora, da própria cabeça? Conseguiria ler tudo que fosse relevante até quinta-feira? Talvez. Se não comesse mais nada, nem tomasse banho até lá. Mas ia ficar tão feia na live que talvez não compensasse tanto.

Quem sabe em vez de teoria, pelo menos a curto prazo, ela precisasse mesmo de alguma prática. Era o que tinha funcionado, não era? Falar para as pessoas a partir das suas experiências, mesmo que sem muita instrução. Não era ideal, mas era alguma coisa. Se elencasse atitudes que tinham funcionado pra ela, podia servir pra alguém, nem que fosse como um exemplo do que não se deve fazer de jeito nenhum. Dez coisas. Precisava fazer dez coisas que funcionassem pra ela, uma coisa pra cada passo, e assim conseguiria ter assunto pra uma live inteira. Parecia um pouco arrogante de sua parte partir assim pro ataque, sem se debruçar tanto sobre o assunto? Parecia. Mas a alternativa era mais arrogante ainda. Dizer: desisto, não quero compartilhar experiência nenhuma com ninguém.

Além do mais, aqueles eram passos que ela precisava dar de qualquer forma, não tinha saída. Tinha o Guilherme, que ainda iria dar trabalho em algum momento, e tinha o resto da vida toda. Todos os relacionamentos tóxicos do seu passado que ainda tinham tanto impacto no seu dia a dia e, principalmente, os que poderia vir a ter ainda. Era responsabilidade sua dar aqueles passos, pensar um jeito de melhorar seus relacionamentos de uma forma geral. Partindo do princípio de que todas as relações têm um potencial de toxicidade, aprender a avaliar quais valia a pena salvar. Depois pensar em como salvar esses últimos, fazendo uma faxina nos padrões repetitivos e pouco inteligentes, nos maus hábitos, no acúmulo de rancor. E então pensar em como se livrar daquelas pessoas que eram só, como disse a moça, "um embuste".

Era muito. Era assunto pra vida toda, se fosse sincera. E ela tinha quanto tempo? Três míseros, ridículos dias.

Tinha que começar por algum lugar. Não iria ligar pro Guilherme. Já tinha pensado bastante sobre isso. O Guilherme era um problema pra outra hora, talvez pra ela resolver sozinha, na terapia. Ela tinha que voltar pra terapia. Mas o fato é que tinha que pensar em um passo que ela podia dar, uma primeira faxina, alguma coisa na direção de uma higiene mental. Precisava começar a colocar limites nos relacionamentos, estabelecer uma distância regulamentar, uma separação entre ela mesma e as outras pessoas.

Era isso, no final das contas, o começo de tudo, não era? Pra entender e avaliar o outro, primeiro a gente precisa entender que uma coisa é a gente e que outra coisa é o outro. Entender que o relacionamento entre duas pessoas é sempre entre duas pessoas fundamentalmente sozinhas, mas íntegras, que decidem que querem estar por perto. Por perto. Separadas. Era que nem cortar o cordão umbilical, a compreensão do *self*. E num arrebatamento de coragem e ousadia, pegou seu telefone, abriu a aba de favoritos e olhando os contatos ali, enfim tocou na tela:

– Oi, mãe.
– Oi, meu amor, você está bem?
– Estou bem e você?
– Estou indo. Meio preocupada com você.
– Não precisa, eu estou bem. Eu juro.
– Seu irmão disse que todo mundo no trabalho dele estava falando de você por causa daquela coisa da internet.
– Eu não me importo, mãe. Tá tudo bem.
– Eu sei, mas...
– Como você está?
– É querer muito de mim que eu esteja bem, né? Seu irmão está cheio de problemas no trabalho, acha que vai perder o emprego. Sua irmã tá lá, daquele jeito dela. E você com essa coisa toda com o Guilherme...
– Eu não tenho mais nada com o Guilherme, mãe.
– Sim, mas essa raiva que você ficou. Isso não pode fazer bem.
– Eu também não estou com raiva dele. Eu só disse uma coisa que eu já vi acontecer com outras pessoas

e que aconteceu comigo e que precisa mudar, porque na nossa experiência acabou fazendo com que ficasse impossível a gente continuar juntos.

— Eu sei que você não gosta quando eu digo isso, mas era igualzinho comigo e com seu pai. E eu e seu pai... a gente deu um jeito.

— Mãe, eu entendo você se comparar comigo. Eu sou sua filha. A gente tem muita coisa em comum mesmo. Muito do que eu tenho foi você que me deu, foi você que me ensinou. Eu só preciso que você entenda que eu sou uma pessoa completa, uma pessoa diferente de você, mesmo que parecida. E que na maioria das vezes vou ter experiências completamente diferentes das suas. E isso é bom porque quer dizer que a gente tem chance de experimentar coisas diferentes. E que posso olhar pra você daqui e honrar e admirar a sua experiência, e você pode olhar daí e honrar e admirar a minha. E, quando tudo der errado, a gente pode oferecer a mão uma pra outra, e seguir, cada uma do seu jeito, mas com uma aliada por perto. A melhor aliada, porque a gente, graças a Deus, ainda se parece muito uma com a outra.

— Você ficou mais inteligente do que eu, pelo menos.

— Não acho.

— Desculpe se eu estou me metendo muito na sua vida, mas é que eu sinto você tão distante e não sei o que pensar.

— Pois eu estava pensando nisso agora mesmo. Acho que quando você não me deixa ser uma mulher completa e independente de você, eu me afasto, pra ver se com o espaço eu esgarço essa coisa embolada e viro um ser humano completo. Eu preciso disso. Eu preciso ser uma pessoa que não está embolada com todas as outras.

— Hum.

— Tudo bem se você precisar de um tempo pra pensar sobre isso.

— Acho que eu preciso.

— Melhor do que pensar na família do Guilherme.

— De vez em quando você tem razão. Puxou mesmo a mim.

— Te amo, mãe.

— Te amo, minha filha.

Rosa desligou o telefone ainda tremendo. Tinha sido mais fácil do que o previsto. Agora só precisava chorar até a tensão passar.

Naquela noite, já de pijama, entrou no Instagram mais uma vez. Não sabia nem por onde começar com tanta notificação. Era gente nova seguindo, celebridade repostando, marca de vibrador querendo mandar recebidinhos. Tinha algo de maravilhoso naquilo tudo também. Tentou ler os milhares de comentários embaixo do seu post. Um monte de coisa boa, um monte de bobeira, até uns "feminazi" bem desanimadores. E pensou que não podia perder tempo com aquilo. Ela não tinha estudado muito. Mas tinha um monte de gente que não tinha estudado nada.

E, quando chegou quinta, morrendo de medo de ter que acertar, ligou a câmera e a primeira coisa que viu, assim de cara, foi um sorriso lá do outro lado. E aquelas duas mulheres se olharam em silêncio por um tempo.

— Hoje eu estou aqui com a Rosa Warchawsky, que fez um post que repercutiu muito esta semana, com uma colocação bem emocionante sobre alguns aspectos abusivos e tóxicos de relacionamentos que ela viveu. E eu quis convidá-la pra gente bater um papo sobre essa experiência específica, sobre o que fez ela decidir escrever sobre isso em público. Porque acho que uma grande questão é que a gente ainda se sente muito sozinha quando vive uma situação assim, até descobrir o quanto essas coisas são comuns. Mas a primeira coisa que eu queria dizer é: Rosa, eu sinto muito que você tenha passado por isso.

E aí Rosa foi surpreendida por uma lágrima sua e mais um sorriso da Marina. E o silêncio das duas começou a gerar uma chuva de coraçõezinhos na live, coisa que não mede nada, coração de rede social, mas às vezes é o que a gente pode ter.

— Obrigada, Marina.

— E eu queria aproveitar pra já te perguntar um pouco sobre o tema da nossa live de hoje. Depois da tua experiência, o que você tem a dizer pra outras mulheres que estão assistindo a gente aqui? Quais são os dez passos pra gente se livrar de um embuste?

— Antes de vir pra cá, comecei a organizar uma lista de dez passos básicos pra gente se livrar de uma situação dessas. Básicos não no sentido de simples, mas de primordiais. Passos mínimos pra garantir que a gente sobreviva, muitas vezes. Era pra ser simples, né? Era pro nosso instinto de sobrevivência tomar conta nessas horas. Mas às vezes a gente consegue justificar essas coisas, esses erros dos outros, equilibrando ou equiparando os erros deles aos nossos, domando nosso instinto, de uma forma ou de outra.

— Sim.

— Mas quando você tem uma pessoa por perto e ela te faz mal, faz você se sentir diminuída o tempo inteiro, ou mesmo só às vezes, eu não tenho dúvida de que você precisa reagir. E nem sempre dá pra saber como começar. Muita gente já falou sobre isso, com certeza. Mas, se eu puder ser sincera, eu não tive a chance de ler muito sobre essas coisas. Quando você me chamou pra essa live, me deu vontade de morrer. Tanta vergonha, tanto medo de acabar me sentindo uma impostora. Mesmo sabendo que tudo isso começou porque eu estava cansada de fingir que estava feliz, mesmo sabendo que tinha normalizado as coisas duríssimas que vivi. Eu não sei metade das respostas pras coisas que as pessoas têm me perguntado na última semana. Mas eu quero aprender mais. Quero conseguir me proteger melhor e proteger as pessoas que eu amo. E até usei essa nossa conversa aqui como força motriz, um prazo pra começar. Então eu não podia fugir dessa conversa. E, se eu estou aqui agora, tinha que me preparar e tentar dar o melhor que eu posso. Aí eu abri um desses aplicativos de bullet journal todo bonitinho, que você pode clicar pra marcar que já completou a tarefa, sabe? E comecei. Escrevi 1. Coloquei o 1 em negrito. Ajustei a margem. Escolhi a fonte. Escolhi a cor da fonte. Então respirei fundo e pensei que não ia fazer lista nenhuma. Pensei em chegar aqui e dizer: "Legal que vocês gostaram do que eu falei, mas por enquanto não tenho muito mais do que aquilo pra falar". Preciso ouvir e ler mais antes. Porque a única coisa que eu realmente sei é que cada mulher merece achar um relacionamento melhor do que o que eu tive. E que os passos que a gente tem que dar são milhares e muito diferentes pra cada pessoa. Mas são válidos, desde que sejam em direção a algum conforto, alguma ajuda, alguma cura. Talvez os dez passos pra se livrar de um embuste só precisem ser bem largos e pra bem longe. E tudo que eu tenho a dizer é que é muito melhor aqui, no bem longe.

© Lucas Menezes

Cleo

Artista múltipla com mais de vinte anos de carreira atuando na dramaturgia e na música, Cleo acumula durante a sua trajetória artística participações marcantes no cinema e na televisão brasileira, como nos longas *Benjamim*, *Meu nome não é Johnny*, *O tempo e o vento* e *Operações Especiais*.

Nascida em um berço artístico, a paixão pela escrita sempre foi um refúgio para expressar sua forma de ver o mundo e registrar suas experiências. Agora, sua paixão pela literatura está eternizada em seu primeiro livro. Indicada para todos que desejam refletir sobre suas experiências e relacionamentos, a obra traz um novo olhar sobre as dinâmicas envolvidas em uma relação tóxica.

Conheça mais da autora em:
cleooficial.com/
instagram.com/cleo
youtube.com/CLEOOFICIAL

Tatiana Maciel
Nascida em Recife, Tatiana cresceu numa família de pessoas criativas e ligadas ao mundo das artes e da educação. Formada em Jornalismo pela Universidade Federal de Pernambuco, iniciou sua carreira no cinema como assistente de direção do filme *O auto da compadecida*. Em 2004, escreveu o roteiro do filme *A dona da história*. Depois dele vieram *Fica comigo esta noite*, *Desculpe o transtorno* e *O auto da boa mentira*. Tatiana também assina o roteiro da segunda temporada da série *Filhos da pátria*. É tradutora de peças teatrais e de literatura infantojuvenil e autora do livro *O homem dos sonhos*, que conta a história de um figurante que participa dos sonhos de diversas pessoas.

Conheça mais sobre a autora em:
instagram.com/tatianaamaciel

Se você está ou conhece alguém que esteja passando
por uma situação de abuso, seja ele físico ou psicológico,
procure ajuda. Ligue 180 (Central de Atendimento
à Mulher) para receber orientações.

Esta obra foi composta em Adriane Text e Domus Titling
e impressa em papel Chambril Avena 70 g/m² pela
Gráfica e Editora Rettec.